C000242818

ROAD
France
Belgium and The Netherlands

www.philips-maps.co.uk

First published in 2009 by Philip's,
a division of Octopus Publishing Group Ltd
www.octopusbooks.co.uk
2–4 Heron Quays, London E14 4JP
An Hachette UK Company
www.hachette.co.uk

Fiirst edition 2009
First impression 2009

All rights reserved. Apart from any fair dealing
for the purpose of private study, research,
criticism or review, as permitted under the
Copyright Designs and Patents Act, 1988, no
part of this publication may be reproduced,
stored in a retrieval system, or transmitted
in any form or by any means, electronic,
electrical, chemical, mechanical, optical,
photocopying, recording, or otherwise, without
prior written permission.

All enquiries should be addressed to the
Publisher.

While every reasonable effort has been made
to ensure that the information compiled in
this atlas is accurate, complete and up-to-
date at the time of publication, some of this
information is subject to change and the
Publisher cannot guarantee its correctness or
completeness.

The information in this atlas is provided
without any representation or warranty,
express or implied and the Publisher cannot be
held liable for any loss or damage due to any
use or reliance on the information in this atlas,
nor for any errors, omissions or subsequent
changes in such information.

The representation in this atlas of any road,
drive or track is not evidence of the existence
of a right of way.

Cartography by Philip's
Copyright © Philip's 2009

Printed in China

Contents

II **Legend**

III   Driving regulations

III   Tourist sights of Belgium, France and The Netherlands

V   Ski resorts

VI **Route planning map**

VIII   Distance table

1 **Road maps**

1   Key map

39 **City plans and approach maps**

39   Legends to city plans and approach maps

39   Amsterdam

40   Brussels, Bordeaux, Bordeaux *approaches*

41   Lyon, Lyon *approaches*, Luxembourg, Marseilles

42   Paris *approaches*

43   Paris, Strasbourg, Strasbourg *approaches*

44 **Index to road maps**

II

Legend

Route planning map pages VI–VII

	Motorway with selected junctions
	tunnel, under construction
	Toll motorway
	Pre-pay motorway
	Main through route
	Other major road
	Other road
25	European road number
50	Motorway number
55	National road number
56	Distances – in kilometres
	International boundary
	National boundary
LE HAVRE	Car ferry and destination
✈	International airport
	Town – population
PARIS ▣	5 million +
LYON ▣	1–2 million
Toulouse ◉	500000–1million
Dijon ◉	200000-500000
Caen ◉	100000-200000
Niort ◉	50000–100000
Beune ○	20000–50000
Lunel ○	10000–20000
Tonnerre ○	5000–10000
Vienne ○	0–5000
	Town – Low Emission Zone
▣	5 million +
▣	1–2 million
◉	500000–1million
◉	200000–500000
◉	100000–200000
◉	50000–100000
◎	20000–50000
◎	10000–20000
◎	5000–10000
◦	0–5000

Scales

Pages VI–VII • 1:4730396, 1cm = 47.3km, 1 in = 74.65 miles

0   20   40   60   80 miles

0   40   80   120 km

Pages 2–38 • 1:1066044, 1cm = 10.66km, 1 inch = 16.8 miles

0   5   10   15   20 miles

0   10   20   30 km

Road maps pages 2–38

⑦ ⑧	Motorway with junctions – full, restricted access
◇ ◇	services, rest or parking area
)::::::::(	tunnel
= = = = =	under construction
┃	Toll motorway – with toll barrier
	Pre-pay motorway – 'Vignette' must be purchased before travel
	Principal trunk highway – single / dual carriageway
)::::::::(	Tunnel
- - - - - -	Under construction
	Other main highway – single / dual carriageway
	Other important road
	Other road
E25	European road number
A49	Motorway number
135	National road number
	Distances – in kilometres
143	major
28	minor
Col Bayard 1248	Mountain pass
	Scenic route, gradient – arrow points uphill
	Principal railway
)- - - - -(	tunnel
Bastia 8:30	Ferry route with journey time – hours : minutes
	Short ferry route
-·-·-·-·-	International boundary
- - - - - -	National boundary
	National park
	Natural park
ORLY ✈	Airport
AQUEDUC ROMAINE 🏛	Ancient monument
〭	Beach
CHÂTEAU DU LUDE ♜	Castle or house
GROTTE DU GRAND ROC ◠	Cave
VULCANIA ✦	Other place of interest
GIVERNY ❁	Park or garden
ST CHRISTOL ⊹	Religious building
⚐	Ski resort
DISNEYLAND PARIS ⛩	Theme park
VERSAILLES ◉	World Heritage site
1754▲	Spot height
Bordeaux	World Heritage town
Toulouse	Town of tourist interest
▣ ◉	Town with Low Emission Zone

In France, some national routes have become departmental roads and have been assigned new road numbers. This means that road signs are subject to change. The new road numbers are shown in this atlas

III

Driving regulations

Belgium
Belinque (B)

Area 30,528 sq km (11,786 sq miles)
Population 10,403,951
Capital Brussels/Bruxelles (1,012,000)
Languages Dutch, French, German (all official)
Currency Euro = 100 cents
Website www.belgium.be

kph	🚏	🛣	🛤	🏭
⏱	120*	120*	90	50**

If towing trailer

⏱	90	90	60	50

*Minimum speed of 70kph may be applied in certain conditions on motorways and some dual carriageways **Near schools, hospitals and churches the limit may be 30kph

- 🪧 Compulsory
- 🧒 Children under 12 must use an appropriate child restraint front and rear
- 🍷 0.05%
- △ Compulsory
- ⛑ Compulsory
- 🦺 Recommended
- 🪖 Compulsory
- © Compulsory for all riders
- ⊖ 18 (16 for motorbikes under 50cc)
- 🔲 Third party insurance
- ☎ Only allowed with a hands-free kit
- ★ Dipped headlights compulsory for motorcycles during day and other vehicles during poor daytime visibility
- ★ Visibility vest compulsory

Netherlands
Nederland (NL)

Area 41,526 sq km (16,033 sq miles)
Population 16,645,313
Capital Amsterdam (city 750,000; urban 1,157,000); administrative capital 's-Gravenhage (The Hague) (474,000)
Languages Dutch (official), Frisian
Currency Euro = 100 cents
Website www.holland.com

kph	🚏	🛣	🛤	🏭
⏱	120/100	80/100	80/100	50

- 🪧 Compulsory in front seats and, if fitted, rear
- 🧒 Under 12 not allowed in front seats except in child restraint; in rear, 0-3 child safety restraint, 4-12 child restraint or seat belt
- 🍷 0.05%
- △ Recommended
- ⛑ Recommended
- 🦺 Recommended
- 🪖 Recommended
- © Compulsory
- ⊖ 18
- 🔲 Third party insurance
- ☎ Only allowed with a hands-free kit
- LEZ About 20 cities operate or are planning Low Emission Zones. Permit system/number plate recognition.
- ★ Dipped headlights compulsory for motorcycles

France (F)

Area 551,500 sq km (212,934 sq miles)
Population 64,147,792
Capital Paris (city 2,178,000; urban 9,820,000)
Languages French (official), Breton, Occitan
Currency Euro = 100 cents
Website www.elysee.fr

kph	🚏	🛣	🛤	🏭
⏱	130	110	90	50

On wet roads or if full driving licence held for less than 2 years

⏱	110	90	80	50

If towing above / below 3.5 tonnes gross

⏱	110/90	100/90	90/80	50

50kph on all roads if fog reduces visibility to less than 50m • Licence will be lost and driver fined for exceeding speed limit by over 40kph

- 🪧 Compulsory in front seats and, if fitted, in rear
- 🧒 Under 10 not allowed in front seats; in rear, if 4 or under, must have a child safety seat (rear facing if up to 9 months); if 5 to 10 must use an appropriate restraint system
- 🍷 0.05%
- △ Compulsory
- ⛑ Recommended
- 🦺 Recommended
- © Compulsory for all riders
- ⊖ 18 (16 for light motorcycles, 14 for mopeds)
- ☎ Use not permitted whilst driving
- ★ Tolls on motorways. Electronic tag needed if using automatic tolls.
- ★ Visibility vest compulsory

Tourist sights

Belgium Belgique

www.visitbelgium.com
Antwerp Antwerpen
City with many tall gabled Flemish houses on the river. Heart of the city is Great Market with 16–17c guildhouses and Town Hall. Charles Borromeus Church (Baroque). 14–16c Gothic cathedral has Rubens paintings. Rubens also at the Rubens House and his burial place in St Jacob's Church. Excellent museums: Mayer van den Bergh Museum (applied arts); Koninklijk Museum of Fine Arts (Flemish, Belgian). www.antwerpen.be **5 A4**
Bruges Brugge
Well-preserved medieval town with narrow streets and canals. Main squares: the Market with 13c Belfort and covered market; the Burg with Basilica of the Holy Blood and Town Hall. The Groeninge Museum and Memling museum in St Jans Hospital show 15c Flemish masters. The Onze Lieve Vrouwekerk has a famous *Madonna and Child* by Michelangelo www.brugge.be **4 A3**
Brussels Bruxelles
Capital of Belgium. The Lower Town is centred on the enormous Grand Place with Hôtel de Ville and rebuilt guildhouses. Symbols of the city include the 'Manneken Pis' and Atomium (giant model of a molecule). The 13c Notre Dame de la Chapelle is the oldest church. The Upper Town contains: Gothic cathedral; Neoclassical Place Royale; 18c King's Palace; Royal Museums of Fine Arts (old and modern masters). Also: much Art Nouveau (Victor Horta Museum, Hôtel Tassel, Hôtel Solvay); Place du Petit Sablon and Place du Grand Sablon; 19c Palais de Justice. www.brusselsinternational.be **5 B4**

Ghent Gent
Medieval town built on islands surrounded by canals and rivers. Views from Pont St-Michel. The Graslei and Koornlei quays have Flemish guild houses. The Gothic cathedral has famous Van Eyck altarpiece. Also: Belfort; Cloth Market; Gothic Town Hall; Gravensteen. Museums: STAM Museum in Bijloke Abbey (provincial and applied art); Museum of Fine Arts (old masters). www.gentwww.visitgent.be **5 A3**
Namur
Reconstructed medieval citadel is the major sight of Namur, which also has a cathedral and provincial museums. www.namur.be **5 B4**
Tournai
The Romanesque-Gothic cathedral is Belgium's finest (much excellent art). Fine Arts Museum has a good collection (15–20c). www.tournai.be **4 B3**

France

www.franceguide.com
Albi
Old town with rosy brick architecture. The vast Cathédrale Ste-Cécile (begun 13c) holds some good art. The Berbie Palace houses the Toulouse-Lautrec museum. www.albi-tourisme.fr **30 B1**
Alps
Grenoble, capital of the French Alps, has a good 20c collection in the Museum of Painting and Sculpture. The Vanoise Massif has the greatest number of resorts (Val d'Isère, Courchevel). Chamonix has spectacular views on Mont Blanc, France's and Europe's highest peak. www.thealps.com **26 B2**
Amiens
France's largest Gothic cathedral has beautiful decoration. The Museum of Picardy has unique 16c panel paintings. **10 B2**

Arles
Ancient, picturesque town with Roman relics
(1c amphitheatre), 11c cathedral, Archaeological
Museum (Roman art).
www.tourisme.ville-arles.fr 31 B3

Avignon
Medieval papal capital (1309–77) with 14c walls
and many ecclesiastical buildings. Vast Palace
of the Popes has stunning frescoes. The Little
Palace has fine Italian Renaissance painting.
The 12–13c Bridge of St Bénézet is famous.
www.ot-avignon.fr 31 B3

Bourges
The Gothic Cathedral of St Etienne, one of the
finest in France, has a superb sculptured choir.
Also notable is the House of Jacques Coeur. www.
bourgestourisme.com 17 B4

Burgundy Bourgogne
Rural wine region with a rich Romanesque,
Gothic and Renaissance heritage. The 12c
cathedral in Autun and 12c basilica in Vézelay
have fine Romanesque sculpture. Monasteries
include 11c L'Abbaye de Cluny (ruins) and
L'Abbaye de Fontenay. Beaune has beautiful
Gothic Hôtel-Dieu and 15c Nicolas Rolin hos-
pices. www.burgundy-tourism.com 18 B3

Brittany Bretagne
Brittany is famous for cliffs, sandy beaches and
wild landscape. It is also renowned for mega-
lithic monuments (Carnac) and Celtic culture.
Its capital, Rennes, has the Palais de Justice and
good collections in the Museum of Brittany
(history) and Museum of Fine Arts. Also:
Nantes; St-Malo. www.bretagne.com

Caen
City with two beautiful Romanesque buildings:
Abbaye aux Hommes; Abbaye aux Dames. The
château has two museums (15–20c painting; his-
tory). The *Bayeux Tapestry* is displayed in nearby
Bayeux. www.tourisme.caen.fr 9 A3

Carcassonne
Unusual double-walled fortified town of narrow streets with an inner fortress. The fine
Romanesque Church of St Nazaire has superb
stained glass. www.carcassonne.org 30 B1

Chartres
The 12–13c cathedral is an exceptionally
fine example of Gothic architecture (Royal
Doorway, stained glass, choir screen). The Fine
Arts Museum has a good collection.
www.chartres.com 10 C1

Clermont-Ferrand
The old centre contains the cathedral built out
of lava and Romanesque basilica. The Puy de
Dôme and Puy de Sancy give spectacular views
over some 60 extinct volcanic peaks (*puys*).
www.clermont-fd.com 24 B3

Colmar
Town characterised by Alsatian half-timbered
houses. The Unterlinden Museum has excellent
German religious art including the famous
Isenheim altarpiece. The Dominican church
also has a fine altarpiece. Espace André; Malraux
(contemporary arts). www.ot-colmar.fr 20 A2

Corsica Corse
Corsica has a beautiful rocky coast and
mountainous interior. Napoleon's birthplace
of Ajaccio has Fesch Museum with Imperial
Chapel and a large collection of Italian art;
Maison Bonaparte; cathedral. Bonifacio, a
medieval town, is spectacularly set on a rock
over the sea. www.visit-corsica.com/grand_public

Côte d'Azur
The French Riviera is best known for its coast-
line and glamorous resorts. There are many relics
of artists who worked here: St-Tropez has Musée

de l'Annonciade; Antibes has 12c Château
Grimaldi with the Picasso Museum; Cagnes has
the Renoir House and Mediterranean Museum
of Modern Art; St-Paul-de-Vence has the excellent Maeght Foundation and Matisse's Chapelle
du Rosaire. Cannes is famous for its film festival.
Also: Marseille, Monaco, Nice.
www.cote.azur.fr 33 B3

Dijon
Great 15c cultural centre. The Palais des Ducs
et des Etats is the most notable monument and
contains the Museum of Fine Arts. Also: the
Charterhouse of Champmol.
www.dijon-tourism.com 19 B4

Disneyland Paris
Europe's largest theme park follows in the foot-
steps of its famous predecessors in the United
States. www.disneylandparis.com 10 C2

Le Puy-en-Velay
Medieval town bizarrely set on the peaks of dead
volcanoes. It is dominated by the Romanesque
cathedral (cloisters). The Romanesque chapel of
St-Michel is dramatically situated on the highest
rock. www.ot-lepuyenvelay.fr 25 B3

Loire Valley
The Loire Valley has many 15–16c châteaux built
amid beautiful scenery by French monarchs
and members of their courts. Among the most
splendid are Azay-le-Rideau, Chenonceaux and
Loches. Also: Abbaye de Fontévraud.
www.lvo.com 16 B2

Lyon
France's third largest city has an old centre and
many museums including the Museum of the
History of Textiles and the Museum of Fine Arts
(old masters). www.lyon-france.com 25 B4

Marseilles Marseille
Second lagest city in France. Spectacular views
from the 19c Notre-Dame-de-la-Garde. The Old
Port has 11–12c Basilique St Victor (crypt, cata-
combs). Cantini Museum has major collection
of 20c French art. Château d'If was the setting of
Dumas' *The Count of Monte Cristo*.
www.marseille-tourisme.com 31 B4

Mont-St-Michel
Gothic pilgrim abbey (11–12c) set dramatically
on a steep rock island rising from mud flats and
connected to the land by a road covered by the
tide. The abbey is made up of a complex of buildings. www.ot-montsaintmichel.com 15 A4

Nancy
A centre of Art Nouveau. The 18c Place Stanislas
was constructed by dethroned Polish king
Stanislas. Museums: School of Nancy Museum
(Art Nouveau furniture); Fine Arts Museum.
www.ot-nancy.fr 12 C2

Nantes
Former capital of Brittany, with the 15c Château
des ducs de Bretagne. The cathedral has a strik-
ing interior. www.nantes-tourisme.com 15 B4

Nice
Capital of the Côte d'Azur, the old town is
centred on the old castle on the hill. The seafront
includes the famous 19c Promenade des Anglais.
The aristocratic quarter of the Cimiez Hill has
the Marc Chagall Museum and the Matisse
Museum. Also: Museum of Modern and
Contemporary Art (especially neo-Realism and
Pop Art). www.nicetourism.com 33 B3

Paris
Capital of France, one of Europe's most
interesting cities. The Île de la Cité area, an
island in the River Seine has the 12–13c Gothic
Notre Dame (wonderful stained glass) and
La Sainte-Chapelle (1240–48), one of the
jewels of Gothic art. The Left Bank area: Latin

Quarter with the famous Sorbonne university;
Museum of Cluny housing medieval art; the
Panthéon; Luxembourg Palace and Gardens;
Montparnasse, interwar artistic and literary
centre; Eiffel Tower; Hôtel des Invalides with
Napoleon's tomb. Right Bank: the great boul-
evards (Avenue des Champs-Élysées joining
the Arc de Triomphe and Place de la Concorde);
19c Opéra Quarter; Marais, former aristocratic
quarter of elegant mansions (Place des Vosges);
Bois de Boulogne, the largest park in Paris;
Montmartre, centre of 19c bohemianism, with
the Basilique Sacré-Coeur. The Church of St
Denis is the first gothic church and the mauso-
leum of the French monarchy. Paris has three of
the world's greatest art collections: The Louvre
(to 19c, *Mona Lisa*), Musée d'Orsay (19–20c) and
National Modern Art Museum in the Pompidou
Centre. Other major museums include:
Orangery Museum; Paris Museum of Modern
Art; Rodin Museum; Picasso Museum. Notable
cemeteries with graves of the famous: Père-
Lachaise, Montmartre, Montparnasse. Near
Paris are the royal residences of Fontainebleau
and Versailles. www.parisinfo.com 10 C2

Pyrenees
Beautiful unspoiled mountain range. Towns
include: delightful sea resorts of St-Jean-de-Luz
and Biarritz; Pau, with access to the Pyrenees
National Park; pilgrimage centre Lourdes.
www.pyrenees-online.fr

Reims
Together with nearby Epernay, the centre of
champagne production. The 13c Gothic cathedral is one of the greatest architectural achieve-
ments in France (stained glass by Chagall).
Other sights: Palais du Tau with cathedral sculpture, 11c Basilica of St Rémi; cellars on Place
St-Nicaise and Place des Droits-des-Hommes.
www.reims-tourisme.com 11 B4

Rouen
Old centre with many half-timbered houses and
12–13c Gothic cathedral and the Gothic Church
of St Maclou with its fascinating remains of a
dance macabre on the former cemetery of Aître
St-Maclou. The Fine Arts Museum has a good
collection. www.rouentourisme.com 9 A5

St-Malo
Fortified town (much rebuilt) in a fine coastal
setting. There is a magnificent boat trip along
the river Rance to Dinan, a splendid well-
preserved medieval town.
www.saint-malo.tourisme.com 15 A3

Strasbourg
Town whose historic centre includes a well-
preserved quarter of medieval half-timbered
Alsatian houses, many of them set on the canal.
The cathedral is one of the best in France. The
Palais Rohan contains several museums.
www.otstrasbourg.fr 13 C3

Toulouse
Medieval university town characterised by
flat pink brick (Hôtel Assézat). The Basilique
St Sernin, the largest Romanesque church in
France, has many art treasures. Marvellous
Church of the Jacobins holds the body of St
Thomas Aquinas. www.ot-toulouse.fr 29 C4

Tours
Historic town centred on Place Plumereau.
Good collections in the Guilds Museum and
Fine Arts Museum. www.tours.fr 16 B2

Versailles
Vast royal palace built for Louis XIV, primarily
by Mansart, set in large formal gardens with
magnificent fountains. The extensive and much-
imitated state apartments include the famous

Hall of Mirrors and the exceptional Baroque chapel. www.chateauversailles.fr 10 C2

Vézère Valley Caves

A number of prehistoric sites, most notably the cave paintings of Lascaux (some 17,000 years old), now only seen in a duplicate cave, and the cave of Font de Gaume. The National Museum of Prehistory is in Les Eyzies. www.leseyzies.com 29 B4

Netherlands Nederland

www.visitholland.com

Amsterdam

Capital of the Netherlands. Old centre has picturesque canals lined with distinctive elegant 17–18c merchants' houses. Dam Square is 15c New Church and Royal Palace. Other churches include Westerkerk. The Museumplein has three world-famous museums: Rijksmuseum (several art collections including 15–17c painting); Van Gogh Museum; Municipal Museum (art from 1850 on). Other museums: Anne Frank House;

Jewish Historical Museum; Rembrandt House. www.visitamswww.amsterdam.info 2 B1

Delft

Well-preserved old Dutch town with gabled red-roofed houses along canals. Gothic churches: New Church; Old Church. Famous for Delftware (two museums). www.delft.nl 2 B1

Haarlem

Many medieval gabled houses centred on the Great Market with 14c Town Hall and 15c Church of St Bavon. Museums: Frans Hals Museum; Teylers Museum. www.haarlem.nl 2 B1

The Hague Den Haag

Seat of Government and of the royal house of the Netherlands. The 17c Mauritshuis houses the Royal Picture Gallery (excellent 15–18c Flemish and Dutch). Other good collections: Prince William V Gallery; Hesdag Museum; Municipal Museum www.denhaag.nl 2 B1

Het Loo

Former royal palace and gardens set in a vast landscape (commissioned by future the future King and Queen of England, William and Mary). www.paleishetloo.nl 2 B2

Keukenhof

Landscaped gardens, planted with bulbs of many varieties, are the largest flower gardens in the world. www.keukenhof.nl 2 B1

Leiden

University town of beautiful gabled houses set along canals. The Rijksmuseum Van Oudheden is Holland's most important home to archaeological artefacts from the Antiquity. The 16c Hortus Botanicus is one of the oldest botanical gardens in Europe. The Cloth Hall with van Leyden's Last Judgement. http://stadsportal.leiden.nl 2 B1

Rotterdam

The largest port in the world. The Boymans-van Beuningen Museum has a huge and excellent decorative and fine art collection (old and modern). Nearby: 15c Kinderdijk with 19 windmills. www.rotterdam.nl 5 A4

Utrecht

Delightful old town centre along canals with the Netherlands' oldest university and Gothic cathedral. Good art collections: Central Museum; National Museum. www.utrecht.nl 2 B2

Ski resorts

Alpe d'Huez 26 B3 1860m 84 lifts Dec–Apr •Grenoble (63km) ☎+33 4 76 11 44 44 ☐www.alpedhuez.com Snow chains may be required on access road to resort. Road report tel +33 4 76 11 44 50.

Avoriaz 26 A3 2277m 34 lifts Dec–May •Morzine (14km) ☎+33 4 50 74 02 11 ☐www.avoriaz.com Chains may be required for access road from Morzine. Car free resort, park on edge of village. Horse-drawn sleigh service available.

Chamonix-Mont-Blanc 27 B3 1035m 49 lifts Nov–May •Martigny (38km) ☎+33 4 50 53 00 24 ☐www.chamonix.com

Chamrousse 26 B2 1700m 26 lifts Dec–Apr •Grenoble (30km) ☎+33 4 76 89 92 65 ☐www.chamrousse.com Roads normally cleared, keep chains accessible because of altitude.

Châtel 27 A3 2200m 45 lifts Dec–Apr •Thonon-Les-Bains (35km) ☎+33 4 50 73 22 44 ☐www.chatel.com

Courchevel 26 B3 1850m 67 lifts Dec–Apr •Moûtiers (23km) ☎+33 4 79 08 00 29 ☐www.courchevel.com Roads normally cleared but keep chains accessible. Traffic 'discouraged' within the four resort bases. Traffic info: +33 4 79 37 73 37.

Flaine 26 A3 1800m 29 lifts Dec–Apr •Cluses (25km) ☎+33 4 50 90 80 01 ☐www.flaine.com Chains accessible for D6 from Cluses to Flaine. Car access for depositing luggage and passengers only. 1500-space car park outside resort. Road conditions report tel +33 4 50 25 20 50. Near Sixt-Fer-á-Cheval.

La Clusaz 26 B3 1100m 55 lifts Dec–Apr •Annecy (32km) ☎+33 4 50 32 65 00 ☐www.laclusaz.com Roads normally clear but keep chains accessible for final road from Annecy.

La Plagne 26 B3 2100m 109 lifts Dec–Apr Moûtiers (32km) ☎+33 4 79 09 79 79 ☐www.la-plagne.com Ten different centres up to 2100m altitude. Road access via Bozei, Landry or Aime normally cleared.

Les Arcs 27 B3 2600m 77 lifts Dec–May •Bourg-St-Maurice (15km) ☎+33 4 79 07 12 57 ☐www.lesarcs. com Three base areas up to 2000 metres; keep chains accessible. Pay parking at edge of each base resort.

Les Carroz d'Araches 26 A3 1140m 80 lifts Dec–Apr •Cluses (13km) ☎+33 450 90 07 00 ☐www.lescarroz.com

Les Deux-Alpes 26 C3 1650m 55 lifts Dec–Apr •Grenoble (75km) ☎+33 4 76 79 22 00

☐www.les2alpes.com Roads normally cleared, however snow chains recommended for D213 up from valley road (D1091).

Les Gets 26 A3 1172m 52 lifts Dec–Apr •Cluses (18km) ☎+33 4 50 75 80 80 ☐www.lesgets.com

Les Ménuires 26 B3 1815m 40 lifts Dec–Apr •Moûtiers (27km) ☎+33 4 79 00 73 00 ☐www.lesmenuires.com Keep chains accessible for D117 from Moûtiers.

Les Sept Laux 26 B3 1350m, 24 lifts Dec–Apr •Grenoble (38km) ☎+33 4 76 08 17 86 ☐www.les7laux.com Roads normally cleared, however keep chains accessible for mountain road up from the A41 motorway. Near St Sorlin d'Arves.

Megève 26 B3 2350m 79 lifts Dec–Apr •Sallanches (12km) ☎+33 4 50 21 29 52 ☐www.megeve.com Horse-drawn sleigh rides available.

Méribel 26 B3 1400m 61 lifts Dec–May •Moûtiers (18km) ☎+33 4 79 08 60 01 ☐www.meribel.net Keep chains accessible for 18km to resort on D90 from Moûtiers.

Morzine 26 A3 1000m 42 lifts, Dec–Apr •Thonon-Les-Bains (30km) ☎+33 4 50 74 72 72 ☐www.morzine-avoriaz.com

Pra Loup 32 A2 1600m 53 lifts Dec–Apr •Barcelonnette (10km) ☎+33 4 92 84 10 04 ☐www.praloup.com Roads normally cleared but chains accessible recommended.

Risoul 26 C3 1850m 59 lifts Dec–Apr •Briançon (40km) ☎+33 4 92 46 02 60 ☐www.risoul.com Keep chains accessible. Near Guillestre. Linked with Vars Les Claux

St-Gervais 26 B3 850m 27 lifts Dec–Apr •Sallanches (10km) ☎+33 4 50 47 76 08 ☐www.st-gervais.com

Serre Chevalier 26 C3 1350m 77 lifts Dec–Apr •Briançon (10km) ☎+33 4 92 24 98 80 ☐www.serre-chevalier.com Made up of 13 small villages along the valley road, which is normally cleared.

Tignes 27 B3 2100m 47 lifts Jan–Dec •Bourg St Maurice (26km) ☎+33 4 79 40 04 40 ☐www.tignes. net Keep chains accessible because of altitude. Parking information tel +33 4 79 06 39 45.

Val d'Isère 27 B3 1850m 50 lifts Nov–May •Bourg-St-Maurice (30km) ☎+33 4 79 06 06 60 ☐www.valdisere.com Roads normally cleared but keep chains accessible.

Val Thorens 26 B3 2300m 29 lifts Dec–Apr •Moûtiers (37km) ☎+33 4 79 00 08 08 ☐www.valthorens.com Chains essential – highest ski resort in Europe. Obligatory paid parking on edge of resort.

Valloire 26 B3 1430m 33 lifts Dec–Apr •Modane (20km) ☎+33 4 79 59 03 96 ☐www.valloire.net Road normally clear up to the Col du Galbier, to the south of the resort, which is closed from 1st November to 1st June. Linked to Valmeinier.

Valmeinier 26 B3 2600m 33 lifts Dec–Apr •St Michel de Maurienne (47km) ☎+33 4 79 59 53 69 ☐www. valmeinier.com Access from north on D1006 / D902. Col du Galbier, to the south of the resort closed from 1st November to 1st June. Linked to Valloire.

Valmorel 26 B3 1400m 50 lifts Dec–Apr •Moûtiers (15km) ☎+33 4 79 09 85 55 ☐www.valmorel.com Near St Jean-de-Belleville. Linked with ski areas of Doucy-Combelouvière and St François-Longchamp.

Vars Les Claux 26 C3 1850m 59 lifts Dec–Apr •Briançon (40km) ☎+33 4 92 46 51 31 ☐www.vars-ski.com Four base resorts up to 1850 metres. Keep chains accessible. Road and weather information tel +33 4 36 68 02 05 and +33 4 91 78 78 78. Snowfone +33 492 46 51 04. Linked with Risoul.

Villard de Lans 26 B2 1050m 28 lifts Dec–Apr •Grenoble (32km) ☎+33 4 76 95 10 38 ☐www.hiver.villarddelans.com

Pyrenees

Font-Romeu 36 B3 1800m 25 lifts Nov–Apr •Perpignan (87km) ☎+33 4 68 30 12 42 ☐www.font-romeu.fr Roads normally cleared but keep chains accessible.

St Lary-Soulan 35 B4 830m 32 lifts Dec–Mar •Tarbes (75km) ☎+33 5 62 39 50 81 ☐www.saintlary.com Access roads constantly cleared of snow.

Vosges

La Bresse-Hohneck 20 A1 900m 33 lifts Dec–Mar •Cornimont (6km) ☎+33 3 29 25 41 29 ☐www.labresse.net

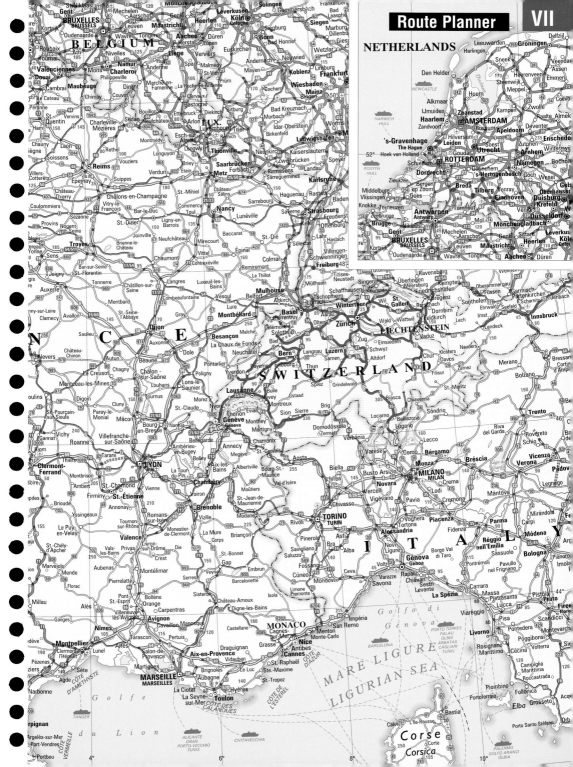

Distances

How to use this table

Distances are shown in miles and, in light type, kilometres.
For example, the distance between Antwerp and Dieppe is **232** miles or 374 kilometres.

Amsterdam

99
159 **Antwerp**

662 573
1065 922 **Bordeaux**

242 145 539
390 233 867 **Boulogne**

646 547 398 421
1040 881 641 678 **Brest**

127 28 545 140 525
205 45 877 226 845 **Brussels**

227 126 533 22 442 122
366 203 857 35 712 196 **Calais**

505 388 431 273 262 370 291
812 624 694 439 422 596 468 **Cherbourg**

574 474 230 422 513 447 442 446
924 763 370 679 825 720 711 717 **Clermont-Ferrand**

334 232 439 85 339 180 109 184 344
538 374 706 137 545 290 176 296 554 **Dieppe**

77 55 607 199 595 79 181 441 516 247
124 89 977 321 958 127 291 709 831 397 **Eindhoven**

641 495 419 513 678 500 530 575 185 474 539
1032 797 674 826 1091 804 853 926 297 763 867 **Grenoble**

604 511 113 413 273 478 431 293 295 337 560 462
972 823 182 665 439 769 694 472 475 543 902 743 **La Rochelle**

375 275 418 151 288 250 172 135 366 68 328 478 314
604 442 673 243 463 402 277 217 589 110 528 770 506 **Le Havre**

438 341 269 244 243 314 267 176 270 169 395 446 178 153
705 548 433 392 391 505 430 283 435 272 636 717 286 246 **Le Mans**

152 77 566 194 559 60 185 402 478 239 67 489 519 288 350
244 124 911 313 899 96 297 647 770 385 108 787 835 464 564 **Liege**

176 78 488 71 460 68 69 305 398 115 130 493 425 132 263 126
283 125 786 115 741 109 111 491 640 185 210 793 684 213 423 202 **Lille**

542 463 137 401 373 434 421 371 113 341 508 330 137 334 184 469 375
872 745 221 646 600 699 678 597 182 549 817 531 220 537 296 755 604 **Limoges**

233 159 544 252 612 132 249 426 367 264 166 371 485 321 88 87 174 473
375 256 875 405 985 212 401 686 590 425 267 597 781 516 142 140 280 762 **Luxembourg**

575 473 347 442 629 446 464 493 106 389 492 66 459 411 331 412 426 260 318
925 761 558 712 1013 717 746 794 170 626 792 106 739 662 533 665 685 418 511 **Lyon**

768 670 393 640 786 643 581 700 255 600 699 180 516 595 615 609 366 518 187
1236 1079 632 1030 1265 1035 1127 410 966 1125 290 830 958 878 990 980 589 833 301 **Marseilles**

760 662 303 626 696 641 643 643 207 548 678 183 413 564 470 609 606 270 506 188 103
1223 1066 488 1008 1120 1031 1034 1035 333 882 1091 295 665 908 756 980 975 434 814 302 165 **Montpellier**

327 228 547 324 598 203 321 460 342 321 249 318 491 357 362 175 260 409 72 254 445 439
527 367 880 521 962 326 517 740 550 517 401 512 790 574 582 282 418 659 116 409 716 707 **Nancy**

548 449 219 353 185 428 373 211 333 278 505 506 87 239 115 465 374 217 465 451 613 511 469
882 723 352 568 297 688 601 339 536 448 813 815 140 385 185 749 602 350 748 725 987 823 755 **Nantes**

865 767 499 737 894 743 761 798 393 698 784 204 608 699 652 713 716 527 611 293 127 202 542 710
1392 1235 803 1186 1438 1195 1225 1284 633 1124 1261 328 979 1125 1050 1148 1153 848 984 471 204 325 872 1142 **Nice**

175 75 550 78 501 70 60 347 452 172 128 551 481 227 321 131 55 432 207 484 677 670 278 429 774
282 121 885 126 807 113 97 558 727 277 206 886 774 365 516 211 89 695 333 779 1090 1079 447 690 1245 **Oostende**

312 212 364 158 367 190 180 221 263 121 265 355 293 122 129 228 137 244 232 289 482 466 240 240 579 191
502 341 585 255 591 305 290 355 423 195 427 571 471 196 208 367 220 392 373 465 775 750 386 386 932 307 **Paris**

296 199 447 171 451 167 166 331 331 284 388 600 606 349 342 264 202 526 233 488 799 787 208 520 955 289 143
477 321 720 275 726 269 267 503 532 284 388 600 606 349 342 264 202 526 233 488 799 787 208 520 955 289 143 **Reims**

532 432 289 309 150 409 329 145 368 230 485 546 158 174 96 449 356 287 444 478 652 570 451 67 749 387 219 302
856 695 465 498 241 659 530 234 592 370 781 879 255 280 155 262 717 573 462 715 770 1050 918 725 108 1206 622 352 486 **Rennes**

46 62 635 210 612 94 193 454 537 294 69 606 568 337 404 135 142 519 538 731 724 290 514 829 139 279 261 496
74 99 1022 338 985 151 310 731 864 473 111 976 914 543 650 218 228 835 346 866 1177 1165 466 827 1334 223 449 420 799 **Rotterdam**

378 293 593 387 666 268 385 528 375 392 301 330 342 426 240 342 457 137 308 500 493 97 536 489 216 515 357
608 472 954 623 1071 432 620 850 604 631 484 531 940 696 686 386 550 735 220 495 805 793 156 863 787 550 487 347 828 575 **Strasbourg**

732 632 152 579 548 609 601 578 232 534 685 330 262 536 378 647 556 179 654 334 252 150 585 364 349 610 422 505 434 696 639
1178 1017 244 932 882 980 967 930 374 860 1103 531 421 862 608 1042 895 288 1052 538 405 241 941 585 562 982 679 812 699 1120 1028 **Toulouse**

459 359 216 305 308 336 325 237 211 230 413 384 146 211 63 375 283 140 378 328 496 413 346 134 593 337 149 232 157 423 430 318
738 577 347 491 496 541 523 382 339 370 664 618 235 339 102 603 456 225 609 528 799 664 557 215 955 543 239 374 253 681 692 511 **Tours**

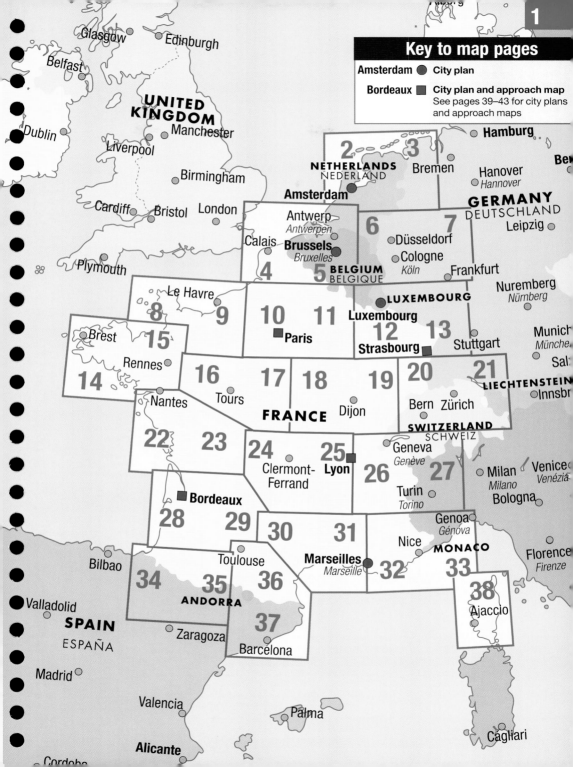

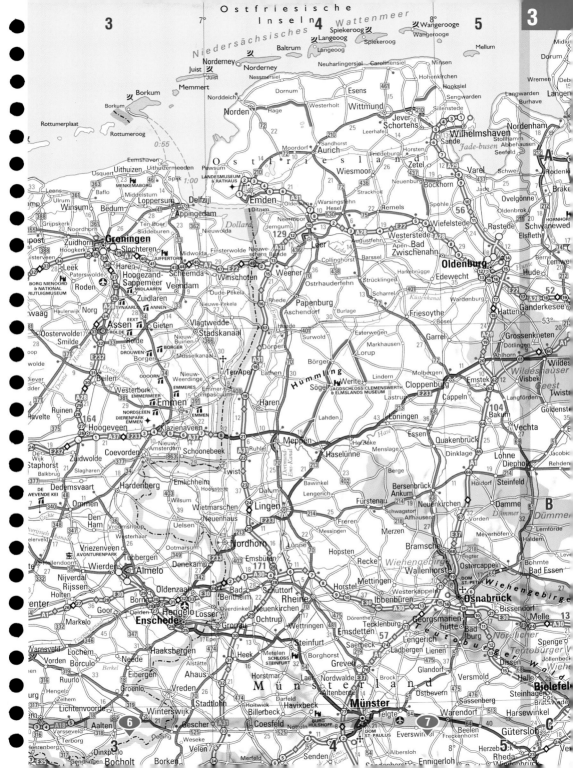

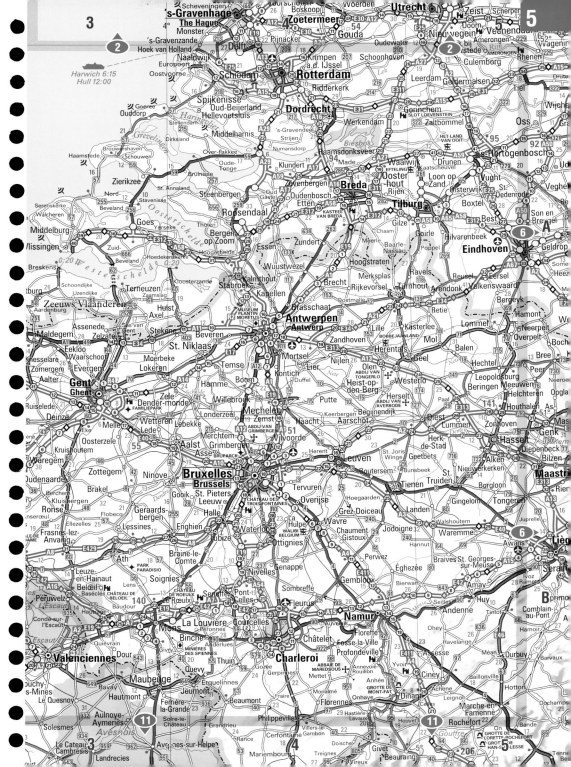

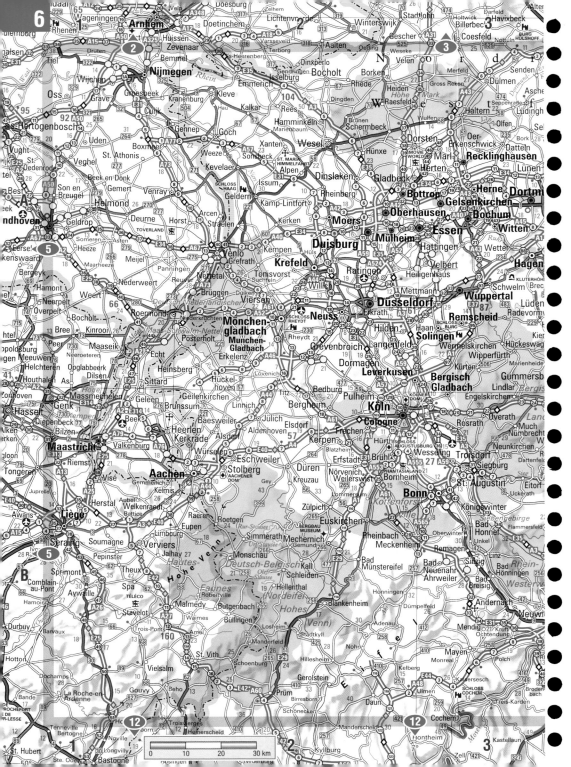

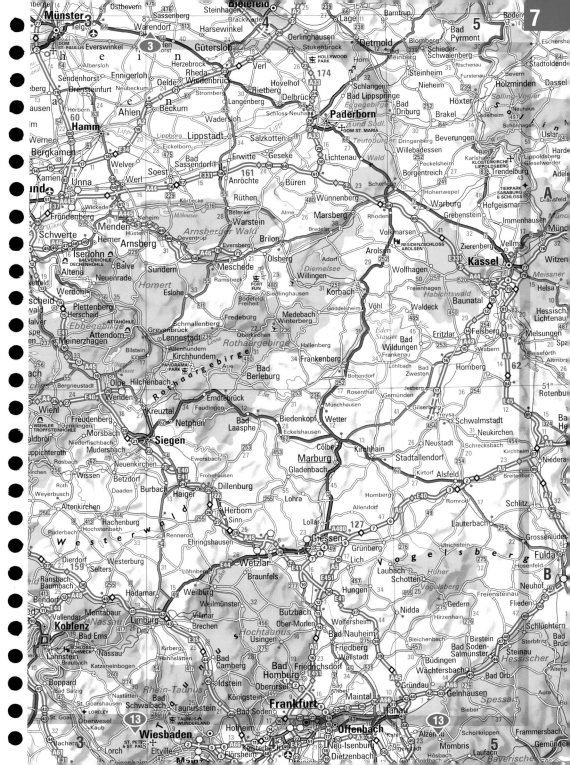

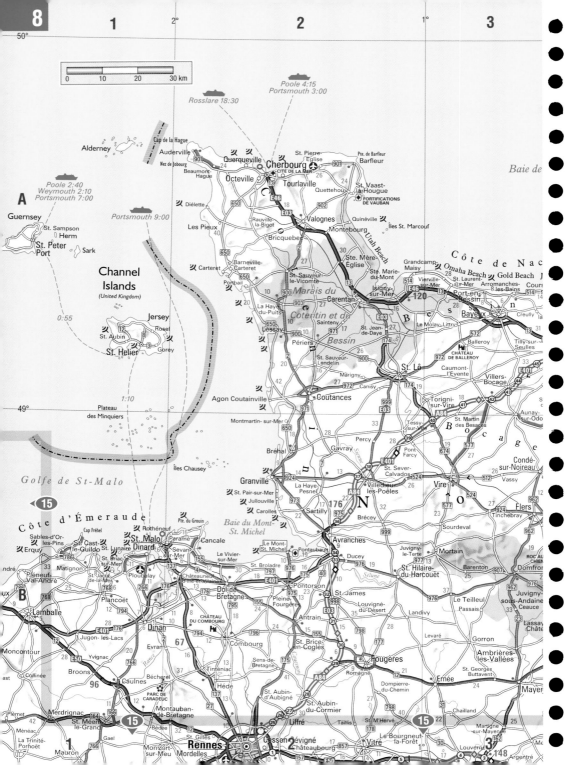

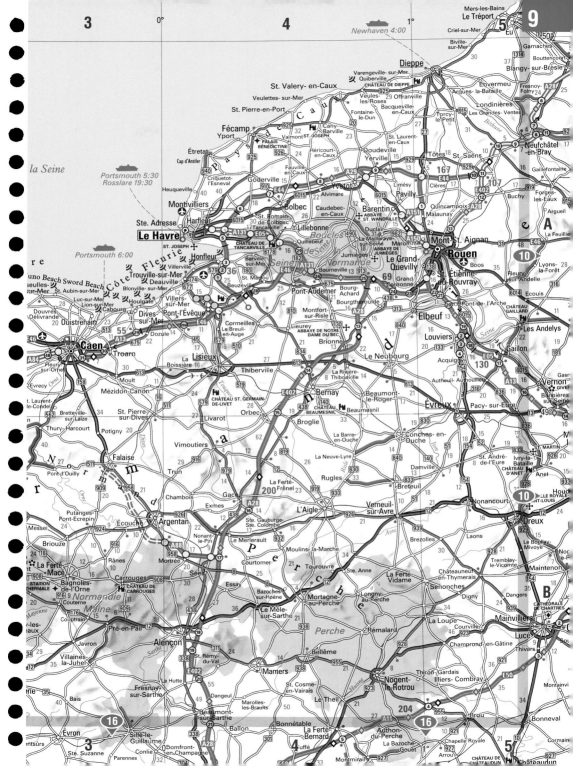

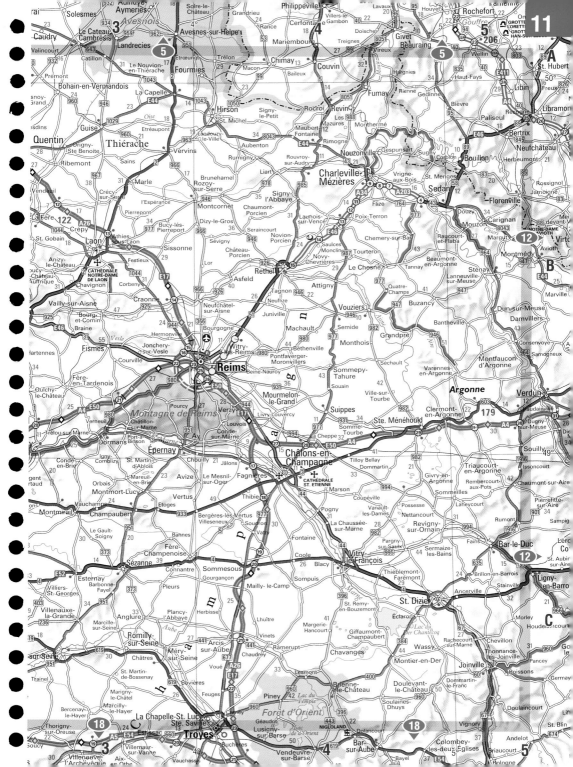

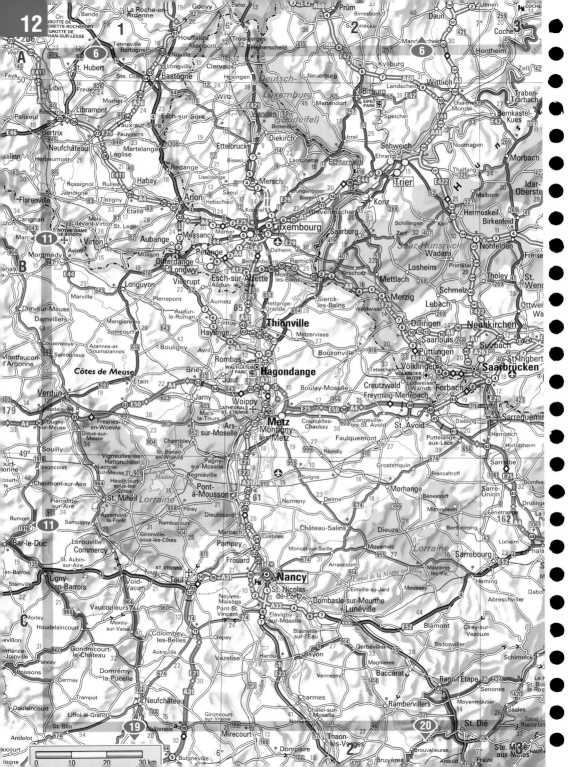

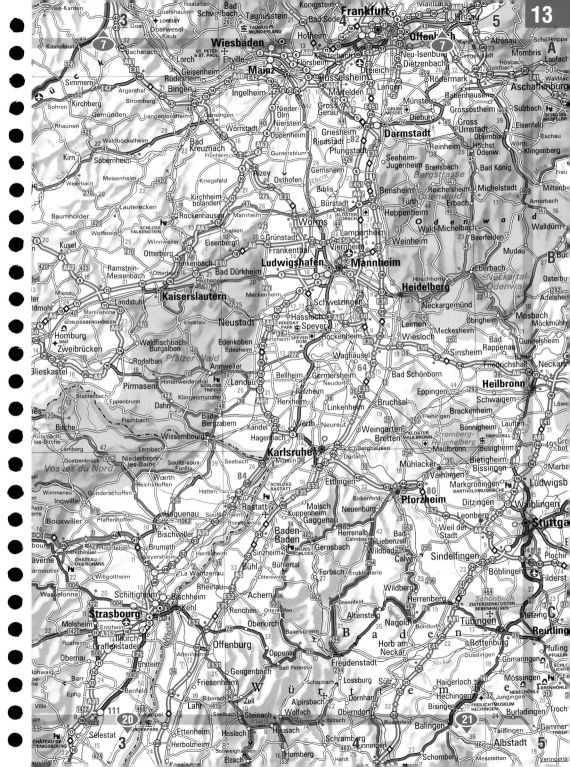

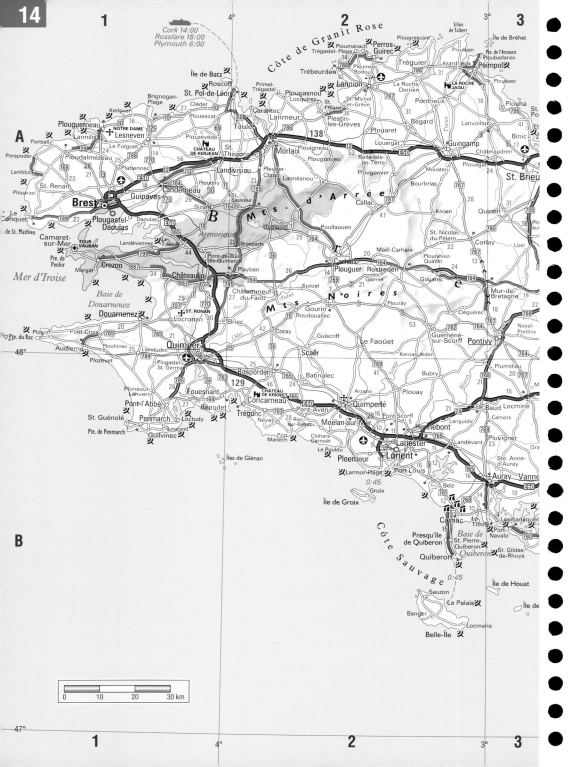

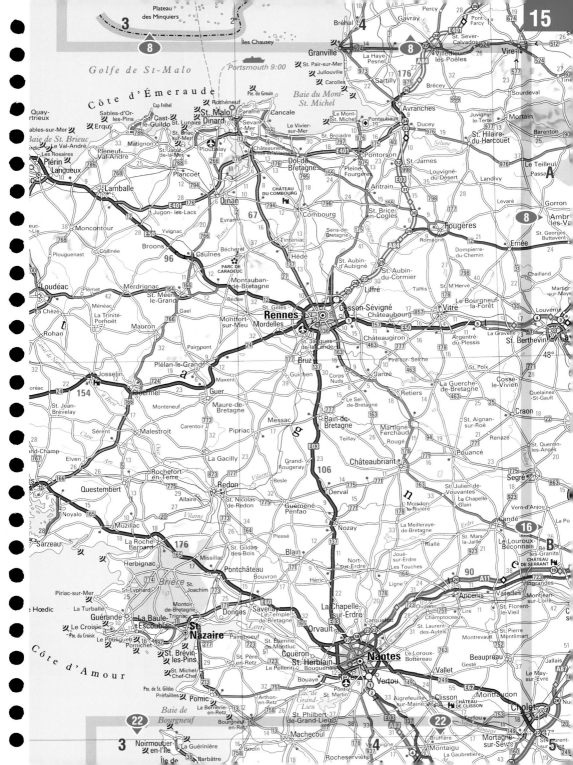

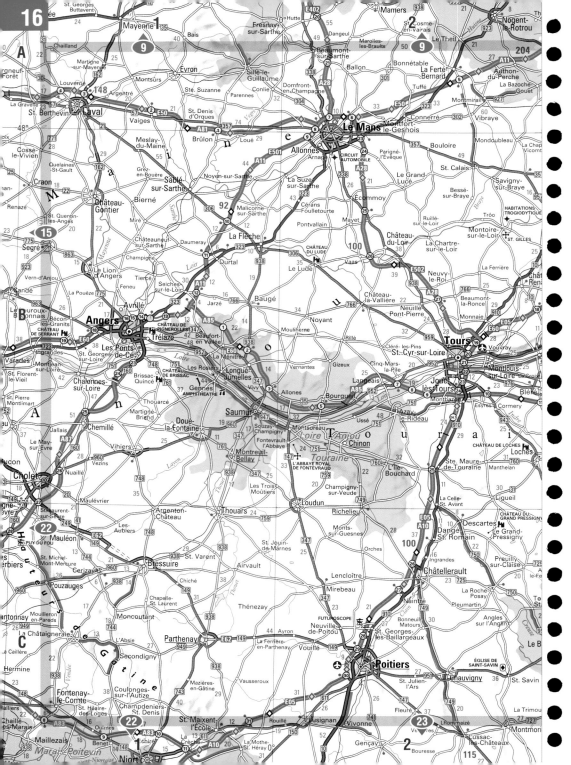

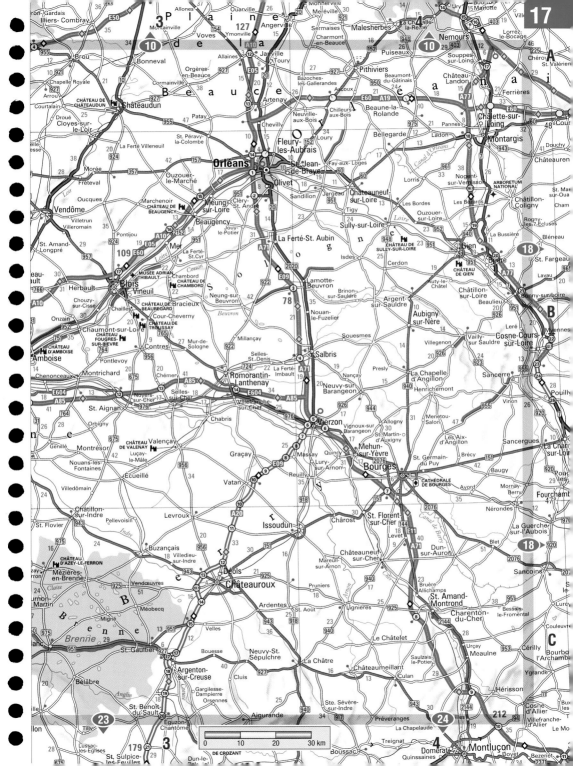

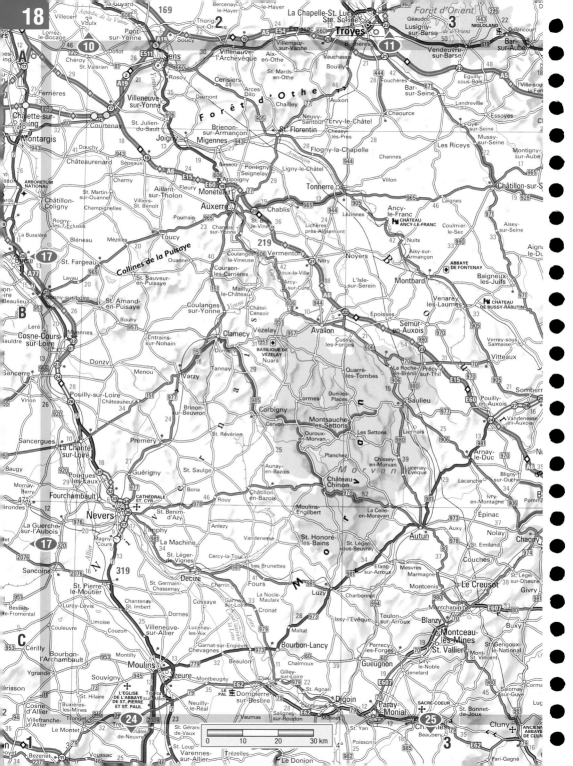

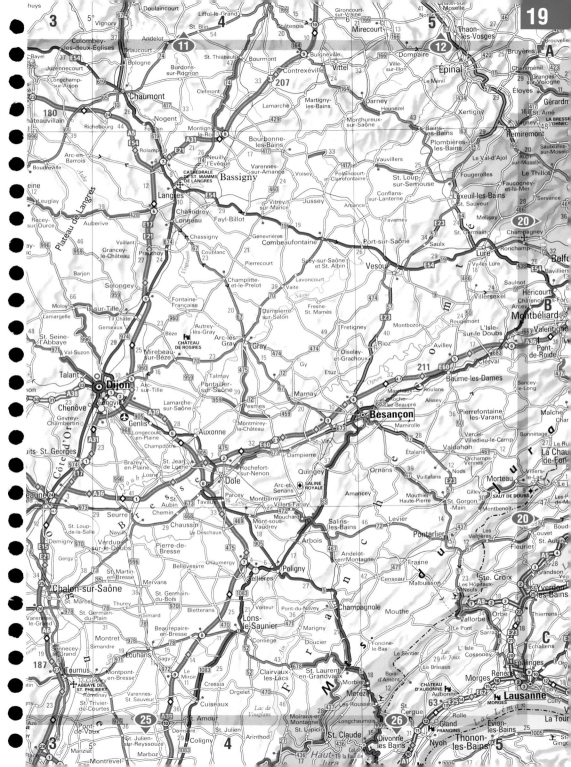

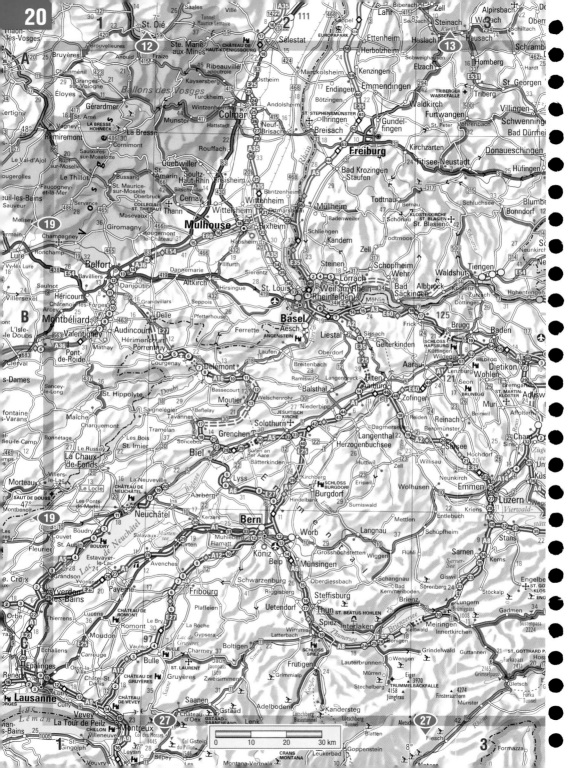

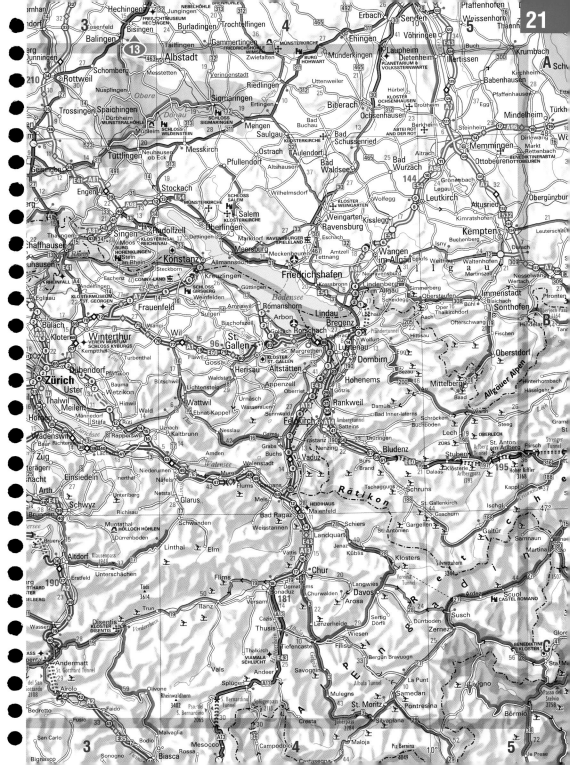

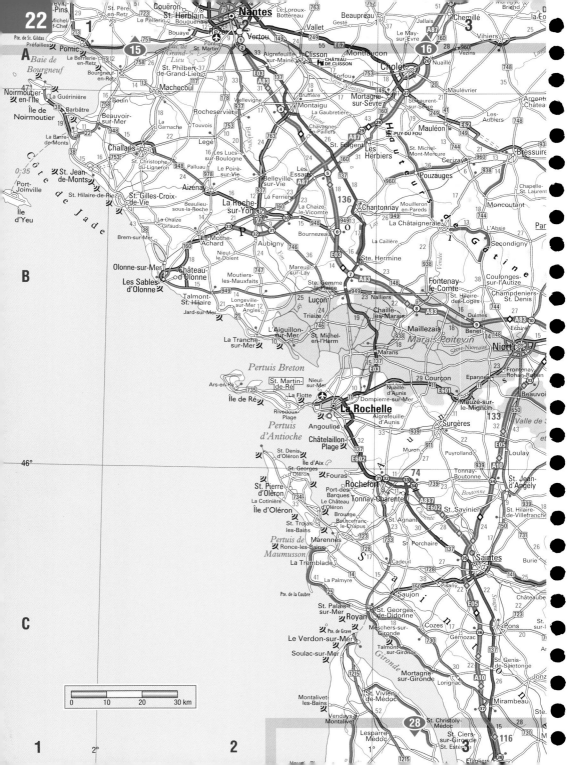

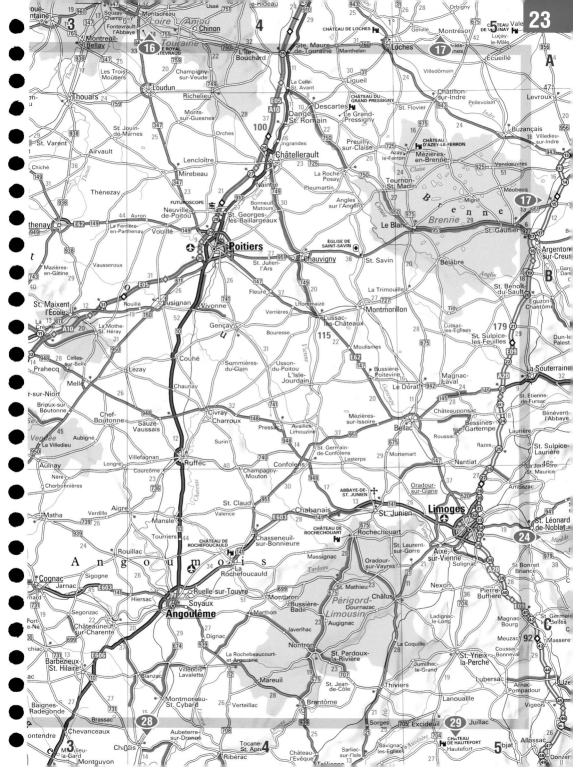

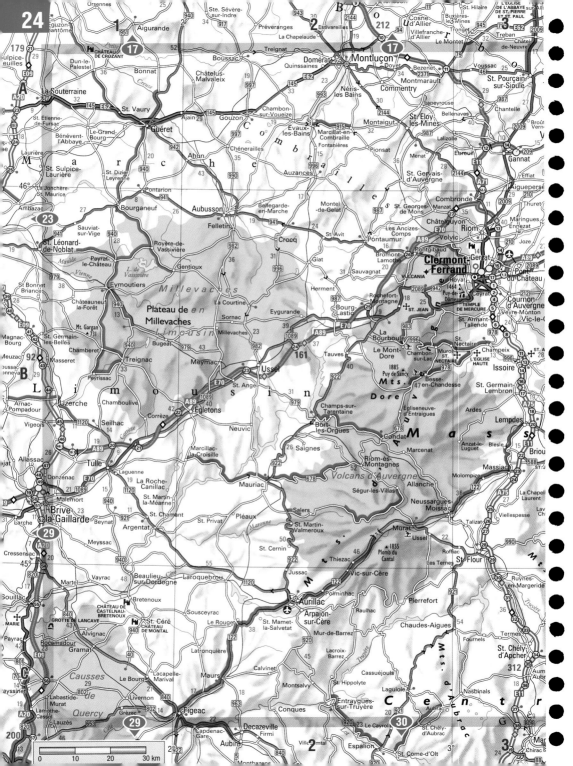

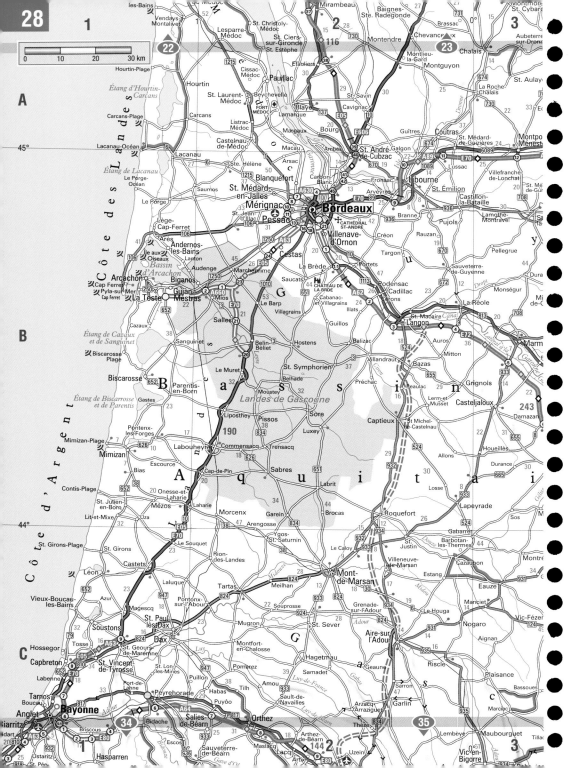

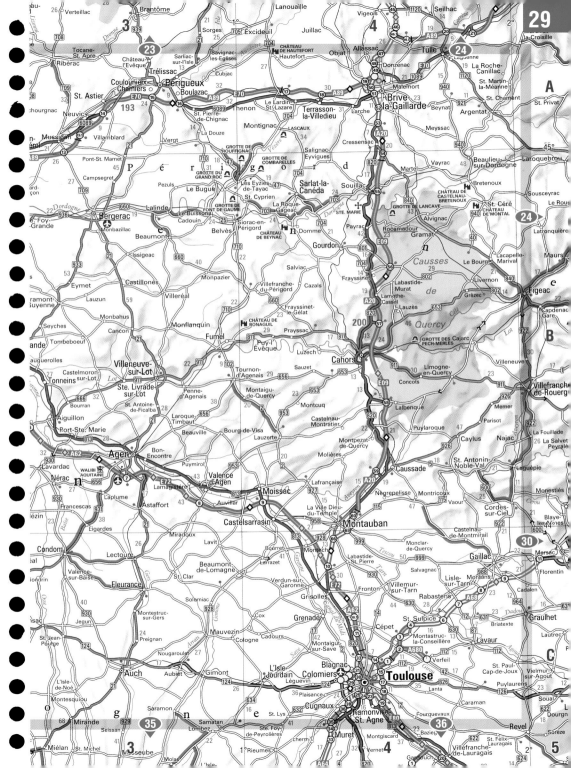

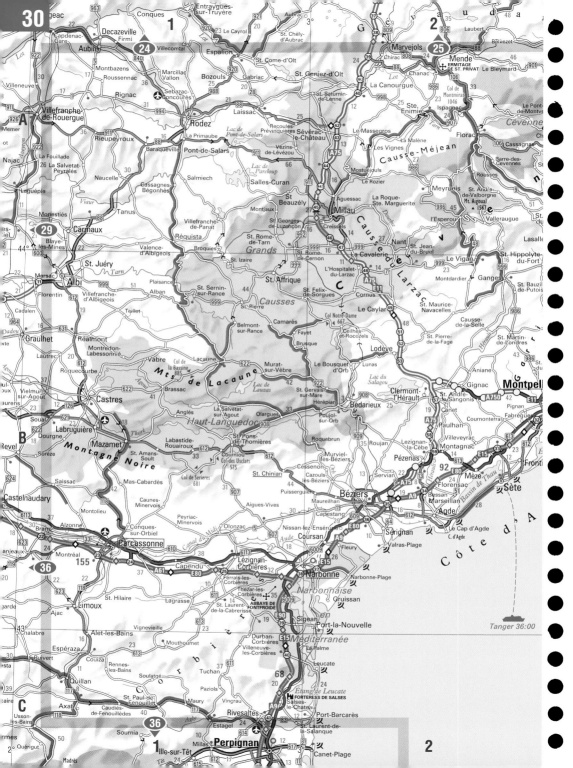

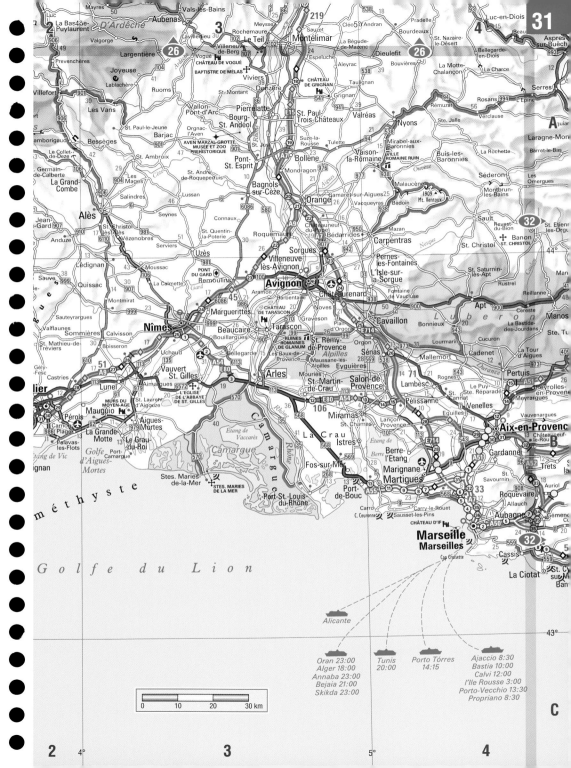

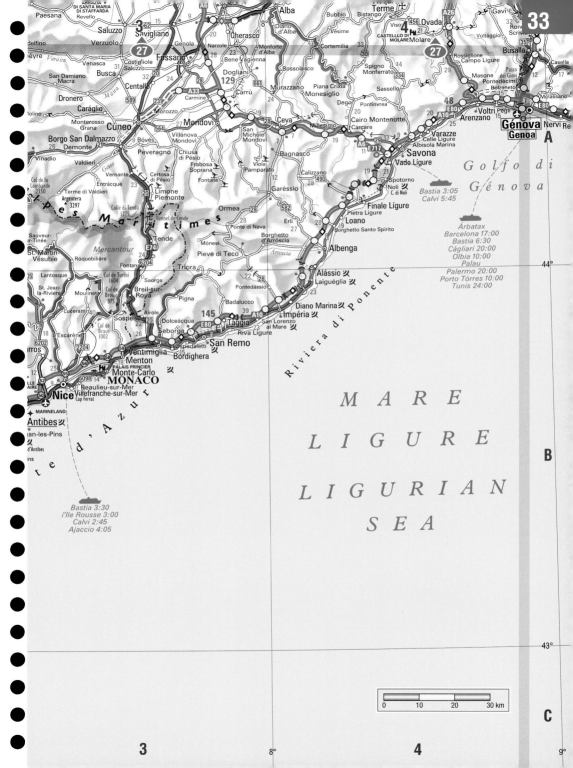

MARE

LIGURE

LIGURIAN

SEA

Golfo di

Génova

Riviera di Ponente

Bastia 3:05
Calvi 5:45

Árbatax
Barcelona 17:00
Bastia 6:30
Cágliari 20:00
Olbia 10:00
Palau
Palermo 20:00
Porto Tórres 10:00
Tunis 24:00

Bastia 3:30
l'Ile Rousse 3:00
Calvi 2:45
Ajaccio 4:05

44°

43°

0   10   20   30 km

A

B

C

Génova
Genoa

Savona
Vado Lígure
Noli
C. di Noli
Finale Lígure
Loano
Pietra Lígure
Borghetto Santo Spirito
Albenga
Alássio
Laiguéglia
Diano Marina
Impéria
San Lorenzo
al Mare
Riva Lígure
Taggia
San Remo
Bordighera
Ospedaletti
Ventimiglia
Menton
Monte-Carlo
MONACO
Beaulieu-sur-Mer
Villefranche-sur-Mer
Cap Ferrat
Nice
Antibes
Juan-les-Pins
MARINELAND

Nervi Re
Pegli
Voltri
Arenzano
Varazze
Celle Lígure
Albisola Marina

Rossiglione
Campo Lígure
Masone
Pontedécimo
Bolzaneto
Molassano
Busalla
Casella
Passo
dei Giovi

Voltággio

Gavi
Rocchetta
Scrivia

Ovada
Molare
CASTELLO DI
MOLARE
Acqui
Terme
Bistagno
Spigno
Monferrato
Bubbio
Vésime
Cortemília
Sassello
Pontinvrea
Dego
Cairo Montenotte
Cárcare
Milésimo
Montenotte
Spotorno

Ceva
Bagnasco
Garéssio
Calizzano
Erli
Borghetto
d'Arróscia
Pieve di Teco
Pontedássio
Badalucco
Dolceácqua
Seborga
Airole
Pigna
Triora
Mónesi
Ponte di Nava
Ormea
Borghetto di Val Bormida

Cherasco
Alba
Diano
d'Alba
Monforte
d'Alba
Narzole
Bene Vagienna
Bra
Sommariva
Dogliani
Bossolasco
Murazzano
Piana Crixia
Monesiglio
Carrù
Mondovi
San Michéle
Mondov'
Villánova
Mondovi
Bóves
Peveragno
Chiusa
di Pésio
Frabosa
Soprana
Viola
Pamparato
Fontane

Savigliano
Fossano
Costigliole
Saluzzo
Genola
Busca
Centallo
Morozzo
Carmine
Cuneo
Borgo San Dalmazzo
Demonte
Vernante
Certosa
di Pésio
Limone
Piemonte
Col di Tenda
Tunnel de Tende
Tende
Fontan
Saorge
Breil-sur-
Royà
Col de Turini
Col de
Brous
Saluzzo
Verzuolo
Venasca
San Damiano
Macra
Dronero
Caráglio
Monterosso
Grana
Valdieri
Terme di Valdieri
Argentera
Col de la
Lombarde
Vinadio
Sauveur-
sur-Tinée
St.-Martin-
Vésubie
Roquebilière
Lantosque
St.-Jean-
la-Riviere
Moulinet
Lucéram
Sospel
L'Escarène
Roquebrune-Cap-
Martin
Paesana
Revello
Paláis Princier

Alpes *Maritimes*
Mercantour

Varáita
Maira
Gesso
Arróscia

Côte d'Azur

ABBAZIA
DI SANTA MARIA
DI STAFFARDA

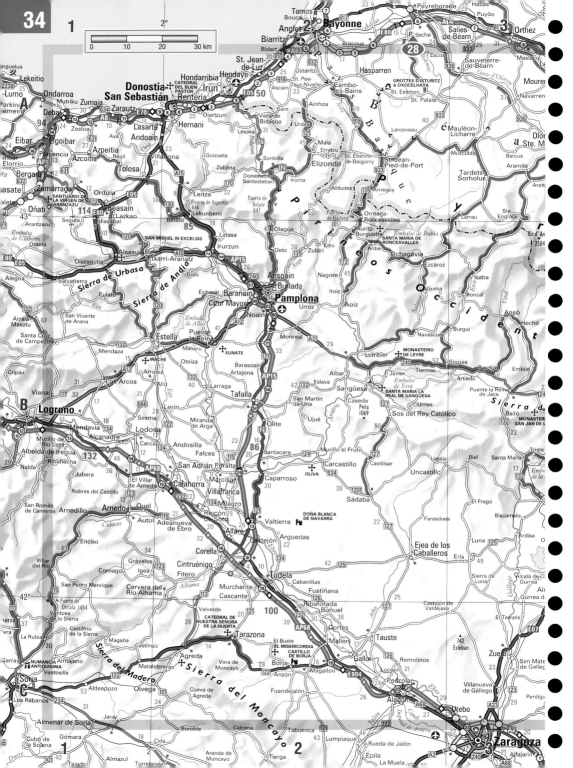

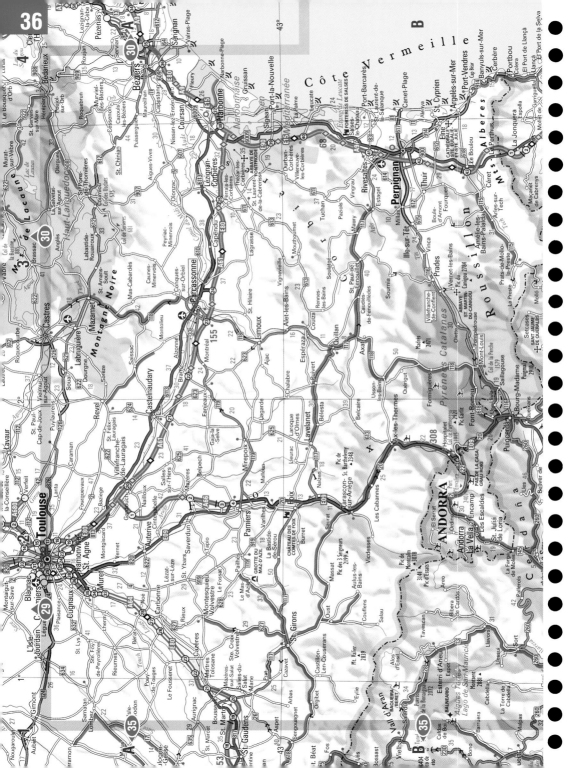

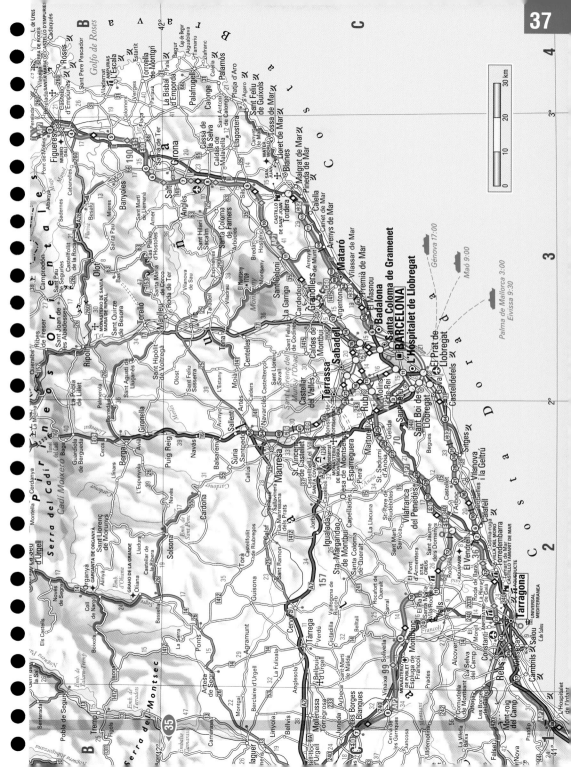

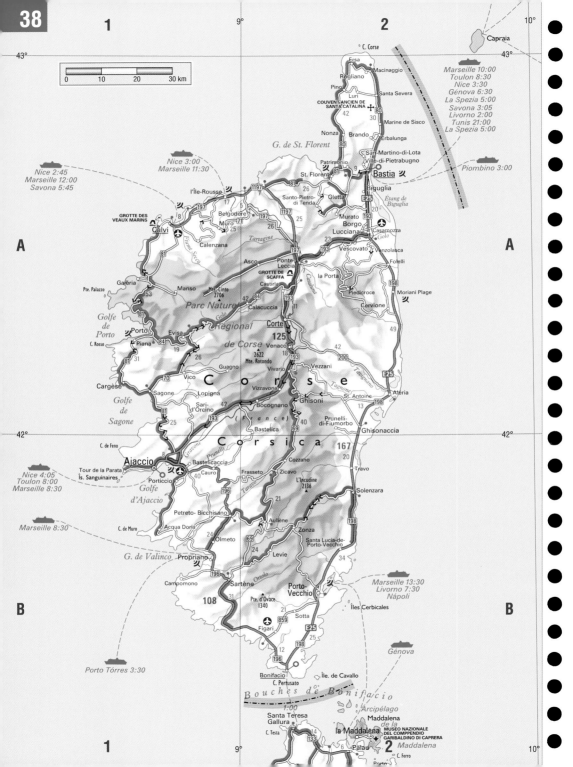

City plans

Motorway		**GENT**	Destination
Major through route			Railway
Through route			Rail / bus station
Secondary road		⊕ⓂⓊⓉ	Underground, metro station
Dual carriageway			Cable car
Other road		†	Abbey, cathedral
)·······(Tunnel		†	Church of interest
Limited access / pedestrian road		✿	Synagogue
→ One-way street		⊞	Hospital
Ⓟ Parking		POL	Police station
A7 Motorway number		⊠	Post office
447 National road number		𝑖	Tourist information
E45 European road number		*Theatre* ▬	Place of interest
Car ferry		*Sorbonne* ▬	Public Building

Approach maps

A10 Toll motorway – with motorway number			Secondary route
		96	dual carriageway
E51 Toll-free motorway – with European road number		96	single carriageway
		= = = =	under construction
		)= = = =(	tunnel
Pre-pay motorway – vignette required			Other road
◇ Motorway services		◀◆▶	Car ferry
24–**24** Motorway junction – full/restricted		**GIRONA**	Destination
			Railway
● Motorway junction name		*Estación Central* ▬	Railway station
Emilia		→·–·–·(	Railway tunnel
= = = = Under construction		234 ▲	Height above sea level – in metres
)= = = = =(Tunnel		✈	Airport
Major route		⊕	Airfield
14 dual carriageway			City plan coverage area
14 single carriageway			
= = = = under construction			
)= = = =(tunnel			

Amsterdam

0   km   2

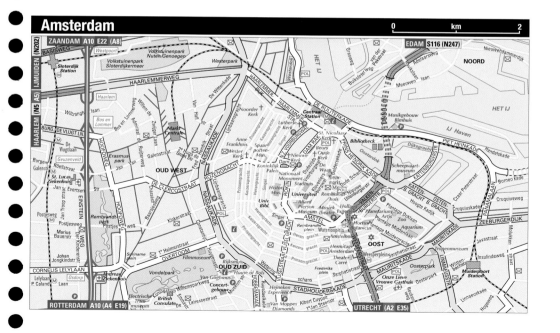

Bruxelles Brussels

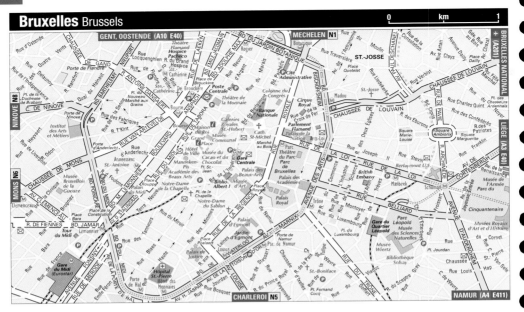

Bordeaux

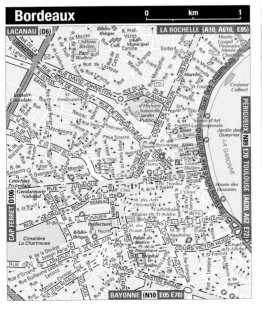

Bordeaux

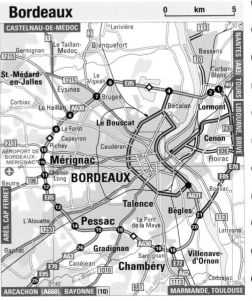

Lyon

0 km 5

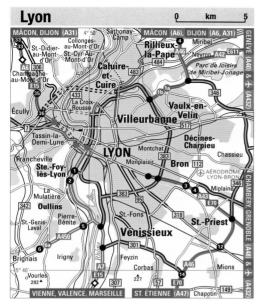

Lyon

0 km 1

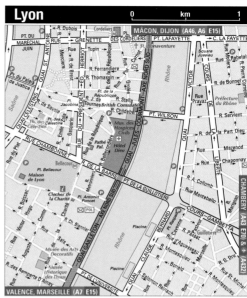

Luxembourg

0 km 0.5

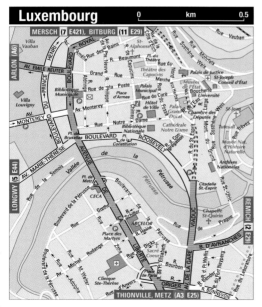

Marseille Marseilles

0 km 0,5

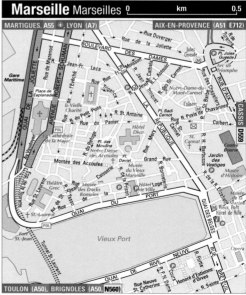

Paris

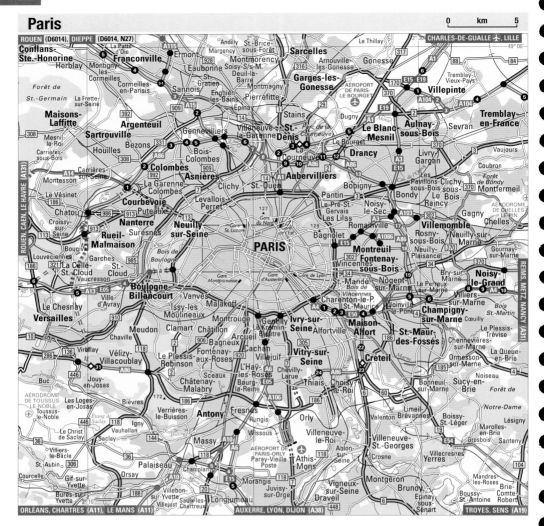

Paris

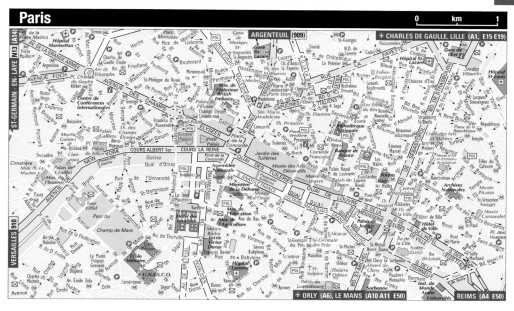

Strasbourg

Strasbourg

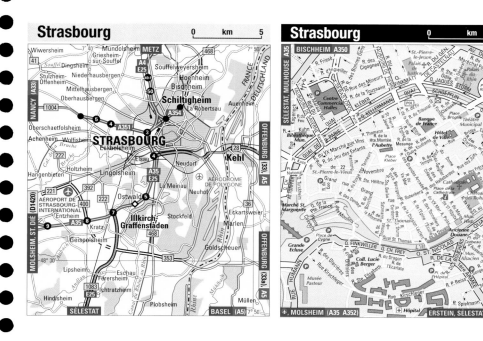

A

Aach D 21 B4
Aachen D 6 B2
Aalsmeer NL 2 B1
Aalst B 5 B4
Aalten NL 3 C3
Aalter B 5 A3
Aarau CH 20 B3
Aarberg CH 20 B2
Aarburg CH 20 B2
Aardenburg NL 5 A3
Aarschot B 5 B4
Abbeville F 10 A1
Abiego E 35 B3
Ablis F 10 C1
Abondance F 26 A3
Abreschviller F 12 C3
Abrest F 25 A3
Abriès F 27 C3
Accéglio I 32 A2
Accous F 35 A3
Achene B 5 B5
Achern D 13 C4
Acheux-en-Amienois F 10 A2
Acqua Doria F 38 B1
Ácqui Terme I 27 C5
Acquigny F 9 A5
Acy-en-Multien F 10 B2
Adeanueva de Ebro E 34 B2
Adelboden CH 20 C2
Adenau D 6 B2
Adinkerke B 4 A2
Adliswil CH 21 B3
Adorf, *Hessen* D 7 A4
Adrall E 37 B2
Aesch CH 20 B2
Affoltern CH 20 B3
Agay F 32 B2
Agde F 30 B2
Agen F 29 B3
Ager E 35 C4
Agnières F 26 C2
Agon Coutainville F 8 A2
Agramunt E 37 C2
Agreda E 34 C2
Aguas E 35 B3
Aguessac F 30 A2
Ahaus D 3 B3
Ahlen D 7 A3
Ahlhorn D 3 B5
Ahun F 24 A2
Aibar E 34 B2
Aigle CH 27 A3
Aignan F 28 C3
Aignay-le-Duc F 18 B3
Aigre F 23 C4
Aigrefeuille-d'Aunis F 22 B3
Aigrefeuille-sur-Maine F 15 B4
Aiguablava E 37 C4
Aiguebelle F 26 B3
Aigueperse F 24 A3
Aigues-Mortes F 31 B3
Aigues-Vives F 30 B1
Aiguilles F 27 C3
Aiguillon F 29 B3
Aigurande F 17 C3
Ailefroide F 26 C3
Aillant-sur-Tholon F 18 B2
Ailly-sur-Noye F 10 B2
Ailly-sur-Somme F 10 B2
Aimargues F 31 B3
Aime F 26 B3
Ainhoa F 34 A2
Ainsa E 35 B4
Airaines F 10 B1
Aire-sur-la-Lys F 4 B2
Aire-sur-l'Adour F 28 C2
Airole I 33 B3
Airolo CH 21 C3
Airvault F 16 C1
Aisey-sur-Seine F 18 B3
Aïssey F 19 B5
Aisy-sur-Armançon F 18 B3
Aitrach D 21 B5
Aix-en-Othe F 18 A2
Aix-en-Provence F 31 B4
Aix-les-Bains F 26 B2
Aixe-sur-Vienne F 23 C5
Aizenay F 22 B2
Ajac F 36 A3
Ajaccio F 38 B1
Ajain F 24 A1
Akkrum NL 2 A2
Ala di Stura I 27 B4
Alagna Valsésia I 27 B4
Alagón E 34 C2
Alássio I 33 A4
Alba I 27 C5
Albalate de Cinca E 35 C4
Alban F 30 B1
Albanyà E 37 B3
Albbruck D 20 B3
Albenga I 33 A4
Albens F 26 B2
Albersloh D 7 A3
Albert F 10 A2
Albertville F 26 B3
Alberuela de Tubo E 35 C3
Albi F 30 B1
Albisola Marina I 33 A4
Albstadt D 21 A4
Alcalá de Gurrea E 34 B3
Alcampell E 35 C4
Alcanadre E 34 B1
Alcolea de Cinca E 35 C4
Alcover E 37 C2
Alcubierre E 35 C3
Aldeapozo E 34 C1
Aldenhoven D 6 B2
Aldudes F 34 A2
Alençon F 9 B4
Alenya F 36 B3
Aléria F 38 A2
Alès F 31 A3
Alet-les-Bains F 36 B3
Aleyrac F 31 A3
Alfaro E 34 B2
Alfarrás E 35 C4
Alfhausen D 3 B4
Alforja E 37 C1
Alguaire E 35 C4
Alinyà E 37 B2
Alixan F 25 C5
Alken B 5 B5
Alkmaar NL 2 B1
Allaines F 17 A3
Allaire F 15 B3
Allanche F 24 B2
Allassac F 29 A4
Allauch F 31 B4
Allègre F 25 B3
Allemont F 26 B3
Allendorf D 7 B4
Allevard F 26 B3
Allmannsdorf D 21 B4
Allo E 34 B1
Allogny F 17 B4
Allones, *Eure et Loire* F 10 C1
Allones, *Maine-et-Loire* F 16 B2
Allonnes F 16 B2
Allons F 28 B2
Allos F 32 A2
Almacelles E 35 C4
Almajano E 34 C1
Alme D 7 A4
Almelo NL 3 B3
Almenar E 35 C4
Almere NL 2 B2
Almese I 27 B4
Almudévar E 35 B3
Alos d'Ensil E 36 B2
Alpen D 6 A2
Alphen aan de Rijn NL 2 B1
Alpignano I 27 B4
Alpirsbach D 13 C4
Alquézar E 35 B4
Alsasua E 34 B1
Alsdorf D 6 B2
Alsfeld D 7 B5
Alstätte D 3 B3
Altdorf CH 21 C3
Altena D 7 A3
Altenberge D 3 B4
Altenheim D 13 C3
Altenhundem D 7 A4
Altenkirchen, *Radom* D 7 B3
Altensteig D 13 C4
Altkirch F 20 B2
Altshausen D 21 B4
Altstätten CH 21 B4
Altusried D 21 B5
Alvignac F 29 B4
Alvimare F 9 A4
Alzénau D 13 A5
Alzey D 13 B4
Alzonne F 36 A3
Amance F 19 B5
Amancey F 19 B5
Amay B 5 B5
Ambazac F 23 C5
Ambérieu-en-Bugey F 26 B2
Ambérieux-en-Dombes F 25 A4
Ambert F 25 B3
Ambès F 28 A2
Ambleteuse F 4 B1
Amboise F 16 B2
Ambrières-les-Vallées F 8 B3
Amden CH 21 B4
Amel B 6 B2
Amélie-les-Bains-Palalda F 36 B3
Amer E 37 B3
Amerongen NL 2 B2
Amersfoort NL 2 B2
Amiens F 10 B2
Amou F 28 C2
Amplepuis F 25 B4
Amriswil CH 21 B4
Amstelveen NL 2 B1
Amsterdam NL 2 B1
Amtzell D 21 B4
Ancenis F 15 B4
Ancerville F 11 C5
Ancy-le-Franc F 18 B3
Andance F 25 B4
Andeer CH 21 C4
Andelfingen CH 21 B3
Andelot F 19 A4
Andelot-en-Montagne F 19 C4
Andenne B 5 B5
Anderlues B 5 B4
Andermatt CH 21 C3
Andernach D 6 B3
Andernos-les-Bains F 28 B1
Andijk NL 2 B2
Andoain E 34 A1
Andolsheim F 20 A2
Andorra La Vella AND 36 B2
Andosilla E 34 B2
Andrest F 35 A4
Andrezieux-Bouthéon F 25 B4
Anduze F 31 A2
Anet F 10 C1
Angaïs F 35 A3
Angers F 16 B1
Angerville F 10 C2
Anglès E 37 C3
Anglés, *Tarn* F 30 B1
Angles, *Vendée* F 22 B2
Angles sur l'Anglin F 23 B4
Anglesola E 37 C2
Anglet F 28 C1
Anglure F 11 C3
Angoulême F 23 C4
Angoulins F 22 B2
Angües E 35 B3
Anhée B 5 B4
Aniane F 30 B2
Aniche F 4 B3
Anizy-le-Château F 11 B3
Ankum D 3 B4
Anlezy F 18 C2
Annecy F 26 B3
Annemasse F 26 A3
Annevoie-Rouillon B 5 B4
Annonay F 25 B4
Annot F 32 B2
Annweiler D 13 B3
Anould F 20 A1
Anröchte D 7 A4
Anse F 25 B4
Anserœul B 5 B3
Ansó E 34 B3
Ansoain E 34 B2
Antibes F 32 B3
Antoing B 5 B3
Antrain F 8 B2
Antronapiana I 27 A5
Antwerp = Antwerpen B 5 A4
Antwerpen = Antwerp B 5 A4
Anvin F 4 B2
Anzat-le-Luguet F 24 B3
Anzón E 34 C2
Aoiz E 34 B2
Aosta I 27 B4
Apeldoorn NL 2 B2
Apen D 3 A4
Appenzell CH 21 B4
Appingedam NL 3 A3
Appoigny F 18 B2
Apremont-la-Forêt F 12 C1
Apt F 31 B4
Aragnouet F 35 B4
Aramits F 34 A3
Aramon F 31 B3
Arbas F 35 B4
Arbeca E 37 C1
Arbois F 19 C4
Arbon CH 21 B4
Arbório I 27 B5
Arbùcies E 37 C3
Arc-en-Barrois F 19 B3
Arc-et-Senans F 19 B4
Arc-lès-Gray F 19 B4
Arc-sur-Tille F 19 B4
Arcachon F 28 B1
Arcen NL 6 A2
Arces-Dilo F 18 A2
Arcey F 20 B1
Archiac F 23 C3
Arcis-sur-Aube F 11 C4
Arcusa E 35 B4
Arcy-sur-Cure F 18 B2
Ardentes F 17 C3
Ardes F 24 B3
Ardez CH 21 C5
Ardisa E 34 B3
Ardooie B 4 B3
Ardres F 4 B1
Arendonk B 5 A5
Arengosse F 28 B2
Arenys de Mar E 37 C3
Arenys de Munt E 37 C3
Arenzano I 33 A4
Areo E 36 B2
Arès F 28 B1
Arette F 34 A3
Arfeuilles F 25 A3
Argelès-Gazost F 35 A3
Argelès-sur-Mer F 36 B4
Argent-sur-Sauldre F 17 B4
Argentan F 9 B3
Argentat F 24 B1
Argentera I 32 A2
Argenteuil F 10 C2
Argenthal D 13 B3
Argenton-Château F 16 C1
Argenton-sur-Creuse F 17 C3
Argentona E 37 C3
Argentré F 16 A1
Argentré-du-Plessis F 15 A4
Arguedas E 34 B2
Argueil F 10 B1
Aribe E 34 B2
Arinthod F 26 A2
Arlanc F 25 B3
Arlebosc F 25 B4
Arles F 31 B3
Arles-sur-Tech F 36 B3
Arlon B 12 B1
Armeno I 27 B5
Armentières F 4 B2
Arnac-Pompadour F 23 C5
Arnage F 16 B2
Arnas F 25 A4
Arnay-le-Duc F 18 B3
Arnedillo E 34 B1
Arnedo E 34 B1
Arneguy F 34 A2
Arnhem NL 2 C2
Arnsberg D 7 A4
Arolla CH 27 A4
Arolsen D 7 A5
Arona I 27 B5
Arosa CH 21 C4
Arpajon F 10 C2
Arpajon-sur-Cère F 24 C2
Arques F 4 B2
Arques-la-Bataille F 9 A5
Arrancourt F 12 C2
Arras F 4 B2
Arreau F 35 B4
Arrens-Marsous F 35 B3
Arromanches-les-Bains F 8 A3
Arroniz E 34 B1
Arrou F 17 A3
Ars-en-Ré F 22 B2
Ars-sur-Moselle F 12 B2
Arsac F 28 B2
Artajona E 34 B2
Artemare F 26 B2
Artenay F 17 A3
Artés E 37 C2
Artesa de Segre E 37 C2
Arth CH 21 B3
Arthez-de-Béarn F 35 A3
Arthon-en-Retz F 15 B4
Artieda E 34 B3
Artix F 35 A3
Arudy F 35 A3
Arveyres F 28 B2
Arvieux F 26 C3
Arzacq-Arraziguet F 28 C2
Arzano F 14 B2
As B 6 A1
Asasp F 35 A3
Ascain F 34 A2
Aschaffenburg D 13 B5
Ascheberg, *Nordrhein-Westfalen* D 7 A3
Aschendorf D 3 A4
Asco F 38 A2
Ascoux F 17 A4
Asfeld F 11 B4
Aspet F 35 A4
Aspres-sur-Buëch F 32 A1
Asse B 5 B4
Asselborn L 12 A1
Assen NL 3 B3
Assenede B 5 A3
Assesse B 5 B5
Asson F 35 A3
Astaffort F 29 B3
Asten NL 6 A1
Asti I 27 C5
Ath B 5 B3
Athies F 10 B2
Athies-sous-Laon F 11 B3
Attendorn D 7 A3
Attichy F 10 B3
Attigny F 11 B4
Au, *Vorarlberg* A 21 B4
Aubagne F 32 B1
Aubange B 12 B1
Aubel B 6 B1
Aubenas F 25 C4
Aubenton F 11 B4
Auberive F 19 B4
Aubeterre-sur-Dronne F 28 A3
Aubiet F 29 C3
Aubigné F 23 B3
Aubigny F 22 B2
Aubigny-au-Bac F 4 B3
Aubigny-en-Artois F 4 B2
Aubigny-sur-Nère F 17 B4
Aubin F 30 A1
Aubonne CH 19 C5
Aubrac F 24 C2
Aubusson F 24 B2
Auch F 29 C3
Auchy-au-Bois F 4 B2
Audenge F 28 B1
Auderville F 8 A2
Audierne F 14 A1
Audincourt F 20 B1
Audruicq F 4 B2
Audun-le-Roman F 12 B1
Audun-le-Tiche F 12 B1
Aue, *Nordrhein-Westfalen* D 7 A4
Augignac F 23 C4
Augustfehn D 3 A4
Aulendorf D 21 B4
Aullène F 38 B2
Aulnay F 23 B3
Aulnoye-Aymeries F 5 B3
Ault F 10 A1
Aulus-les-Bains F 36 B2
Aumale F 10 B1
Aumetz F 12 B1
Aumont-Aubrac F 24 C3
Aunay-en-Bazois F 18 B2
Aunay-sur-Odon F 8 A3
Auneau F 10 C1
Auneuil F 10 B1
Aups F 32 B2
Auray F 14 B3
Aurich D 3 A4
Aurignac F 35 A4
Aurillac F 24 C2
Auriol F 32 B1
Auritz-Burguette E 34 B2
Auros F 28 B2
Auroux F 25 C3
Auterive F 36 A2
Autheuil-Authouillet F 9 A5
Authon F 32 A2
Authon-du-Perche F 16 A2
Autol E 34 B2
Autreville F 12 C1
Autrey-lès-Gray F 19 B4
Autun F 18 C3
Auty-le-Châtel F 17 B4
Auvelais B 5 B4
Auvillar F 29 B3
Auxerre F 18 B2
Auxi-le-Château F 4 B2
Auxon F 18 A2
Auxonne F 19 B4
Auxy F 18 C3
Auzances F 24 A2
Auzon F 25 B3
Availles-Limouzine F 23 B4
Avallon F 18 B2
Avelgem B 5 B3
Avenches CH 20 C2
Avesnes-le-Comte F 4 B2
Avesnes-sur-Helpe F 11 A3
Avià E 37 B2
Avigliana I 27 B4
Avignon F 31 B3
Avilley F 19 B5
Avinyo E 37 C2
Avioth F 12 B1
Avize F 11 C4
Avon F 10 C2
Avord F 17 B4
Avranches F 8 B2
Avril F 12 B1
Avrillé F 16 B1
Awans B 5 B5
Ax-les-Thermes F 36 B2
Axat F 36 B3
Axel NL 5 A3
Ay F 11 B4
Aya E 34 A1
Ayer CH 27 A4
Ayerbe E 34 B3
Ayette F 4 B2
Ayron F 23 B4
Aywaille B 6 B1
Azannes-et-Soumazannes F 12 B1
Azanúy-Alins E 35 C4
Azay-le-Ferron F 23 B5
Azay-le-Rideau F 16 B2
Azé F 25 A4
Azpeitia E 34 A1
Azur F 28 C1

B

Baad A 21 B5
Baar CH 21 B3
Baarle-Nassau B 5 A4
Baarn NL 2 B2
Babenhausen, *Bayern* D 21 A5
Babenhausen, *Hessen* D 13 B4
Baccarat F 12 C2
Bacharach D 13 A3
Bacqueville-en-Caux F 9 A5
Bad Bentheim D 3 B4
Bad Bergzabern D 13 B3
Bad Berleburg D 7 A4
Bad Breisig D 6 B3
Bad Buchau D 21 A4
Bad Camberg D 7 B4
Bad Driburg D 7 A5
Bad Dürkheim D 13 B4
Bad Dürrheim D 21 A3
Bad Ems D 7 B3
Bad Essen D 3 B5
Bad Friedrichshall D 13 B5
Bad Herrenalb D 13 C4
Bad Homburg D 7 B4
Bad Honnef D 6 B3
Bad Hönningen D 6 B3
Bad Iburg D 3 B5
Bad Inner-laterns A 21 B4
Bad Karlshafen D 7 A5
Bad Kemmeriboden CH 20 C2
Bad König D 13 B5
Bad Kreuznach D 13 B3
Bad Krozingen D 20 B2
Bad Laasphe D 7 B4
Bad Liebenzell D 13 C4
Bad Lippspringe D 7 A4
Bad Meinberg D 7 A4
Bad Münstereifel D 6 B2
Bad Nauheim D 7 B4
Bad Neuenahr-Ahrweiler D 6 B3
Bad Orb D 7 B5
Bad Peterstal D 13 C4
Bad Ragaz CH 21 C4
Bad Rappenau D 13 B5
Bad Säckingen D 20 B2
Bad Salzig D 7 B3
Bad Sassendorf D 7 A4
Bad Schönborn D 13 B4
Bad Schussenried D 21 A4
Bad Schwalbach D 7 B4
Bad Soden D 7 B4
Bad Soden-Salmünster D 7 B5
Bad Vilbel D 7 B4
Bad Waldsee D 21 B4
Bad Wildungen D 7 A5
Bad Wurzach D 21 B4
Bad Zwesten D 7 A5
Bad Zwischenahn D 3 A5
Badalona E 37 C3
Badalucco I 33 B3
Baden CH 20 B3
Baden-Baden D 13 C4
Badenweiler D 20 B2
Badonviller F 12 C2
Baells E 35 C4
Baesweiler D 6 B2
Baflo NL 3 A3
Baga E 37 B2
Bagnasco I 33 A4
Bagnères-de-Bigorre F 35 A4
Bagnères-de-Luchon F 35 B4
Bagnoles-de-l'Orne F 9 B3
Bagnols-en-Forêt F 32 B2
Bagnols-sur-Cèze F 31 A3
Baiersbronn D 13 C4
Baignes-Ste. Radegonde F 23 C3
Baigneux-les-Juifs F 18 B3
Baileux B 11 A4
Bailleul F 4 B2
Baillonville B 5 B5
Bailó E 34 B3
Bain-de-Bretagne F 15 B4
Bains F 25 B3
Bains-les-Bains F 19 A5
Bais F 9 B3
Bakum D 3 B5
Balaguer E 35 C4
Balbigny F 25 B4
Balen B 5 A5
Balingen D 21 A3
Balizac F 28 B2
Balk NL 2 B2
Balkbrug NL 3 B3
Ballancourt-sur-Essonne F 10 C2
Ballerias E 35 C3
Balleroy F 8 A3
Ballon F 16 A2
Balme I 27 B4
Balmuccia I 27 B5
Balneario de Panticosa E 35 B3
Balsareny E 37 C2
Balsthal CH 20 B2
Balve D 7 A3
Bande B 5 B5
Bandol F 32 B1
Bangor F 14 B2
Bannalec F 14 B2
Bannes F 11 C3
Banon F 32 A1
Bantheville F 11 B5
Bantzenheim F 20 B2
Banyoles E 37 B3
Banyuls-sur-Mer F 36 B4
Bapaume F 10 A2
Bar-le-Duc F 11 C5
Bar-sur-Aube F 18 A3
Bar-sur-Seine F 18 A3
Barañain E 34 B2
Baraqueville F 30 A1
Barasoain E 34 B2
Barbastro E 35 B4
Barbâtre F 22 B1
Barbazan F 35 A4
Barbentane F 31 B3
Barbezieux-St. Hilaire F 23 C3
Barbonne-Fayel F 11 C3
Barbotan-les-Thermes F 28 C2
Bárcabo E 35 B4
Barcelona E 37 C3
Barcelonette F 32 A2
Barcus F 34 A3
Bardonécchia I 26 B3
Barèges F 35 B4
Barentin F 9 A4
Barenton F 8 B3
Barfleur F 8 A2
Barge I 27 C4
Bargemon F 32 B2
Barjac F 31 A3
Barjols F 32 B1
Barjon F 19 B3
Barles F 32 A2
Barneveld NL 2 B2
Barneville-Carteret F 8 A2
Baron F 10 B2
Barr F 13 C3
Barre-des-Cevennes F 30 A2
Barrême F 32 B2
Barret-le-Bas F 32 A1
Barruera E 35 B4
Barssel D 3 A4
Barvaux B 6 B1
Bas E 37 B3
Basècles B 5 B3
Basel CH 20 B2
Bassecourt CH 20 B2
Bassella E 37 B2
Bassou F 18 B2
Bassoues F 28 C3
Bastelica F 38 A2
Bastelicaccia F 38 B1
Bastia F 38 A2
Bastogne B 12 A1

Name		Page	Grid
Calliano, Piemonte	I	27	B5
Callús	E	37	C2
Calmbach	D	13	C4
Calonge	E	37	C2
Caluire-et-Cuire	F	25	B4
Caluso	I	27	B4
Calvi	F	38	A1
Calvinet	F	24	C2
Calvisson	F	31	B3
Calw	D	13	C4
Camarasa	E	37	C3
Camarès	F	30	B1
Camares	F	30	B1
Camaret-sur-Aigues	F	31	A3
Camaret-sur-Mer	F	14	A1
Cambligeu	F	4	B3
Cambo-les-Bains	F	34	A2
Cambrai	F	4	B3
Cambrils	E	37	C2
Camors	F	14	B3
Campan	F	35	A4
Campbrils	E	35	B4
Campo	E	35	B4
Campo Ligure	I	33	A4
Campo Molino	I	33	A3
Campomorno	E	38	B1
Camporrells	E	35	A4
Camprodón	E	37	B3
Campsegret	F	27	C4
Canale	I	27	B4
Cancale	F	8	B2
Cancon	F	29	B3
Candanchu	E	35	B3
Candé	F	8	B2
Canelli	I	27	C5
Canet	F	37	C3
Canet de Mar	E	37	C3
Canet-Plage	F	36	B4
Canfranc	E	35	B3
Canisy	F	8	A2
Cannes	F	32	B3
Cany-Barville	F	9	A4
Canyet de Mar	F	37	C3
Cap-de-Pin	F	28	B3
Cap Ferret	F	28	B1
Caparroso	E	34	B2
Capbreton	F	28	C1
Capdenac-Gare	F	24	C2
Capelladas	I	37	C2
Capendu	F	36	A3
Capestang	F	30	B2
Cappeln	D	3	B5
Captieux	F	28	B2
Capvern	F	35	A4
Caráglio	I	33	A3
Caraman	F	14	A2
Carantec	F	14	A2
Carbon-Blanc	F	28	B2
Carbonne	F	36	A2
Carcans	F	28	A2
Carcans-Plage	F	28	A2
Carcar	I	34	B2
Cárcare	I	33	A4
Carcassonne	F	36	A3
Carcastillo	E	34	B2
Carcès	F	32	B2
Cardedeu	E	37	C3
Cardona	E	37	C2
Carentan	F	8	A2
Carentoir	F	15	B3
Cargèse	F	38	A1
Carhaix-Plouguer	F	14	A2
Carignan	F	11	B5
Carignano	I	27	C4
Carlepont	F	10	B3
Carmagnola	I	27	C4
Carmaux	F	30	A1
Carmine	I	33	A3
Carnac	F	14	B2
Carnon Plage	F	31	B2
Carolinensiel	D	3	A4
Carolles	F	8	B2
Carpentras	F	31	A4
Carpignano Sèsia	I	27	B5
Carquefou	F	15	B4
Carqueiranne	F	32	B2
Carro	F	31	B4
Carros	F	33	B3
Carrouge	CH	20	C1
Carrouges	F	9	B3
Carrù	I	33	A3
Carry-le-Rouet	F	31	B4
Carteret	F	8	A2
Carvin	F	4	B2
Casalborgone	I	27	B4
Casale Monferrato	I	27	B5
Casamozza	F	38	A2
Cáscada	A	34	C2
Cáseda	E	34	B2
Caselle Torinese	I	27	B4
Cassà de la Selva	E	37	C3
Cassagnas	F	30	A2
Cassagnes-Bégonhès	F	30	A1
Cassel	F	4	B2
Cassine	I	27	C5
Cassis	F	32	B1
Cassuéjouls	F	24	C3
Castejón	E	34	B2
Castejón de Sos	E	35	B4
Castejón de Valdejasa	E	34	C3
Casteldelfino	I	33	A3
Casteljaloux	F	28	B3
Castellamonte	I	27	B4
Castellane	F	32	B2
Castellar de la Ribera	E	37	B2
Castellar del Vallès	E	37	C3
Castellbell i Villar	E	37	C2
Castelldefels	E	37	C2
Castellet	E	37	C2
Castellfollit de la Roca	E	37	B3
Castellfollit de Riubregos	E	37	C2
Castello de Farfaña	E	35	C4
Castello d'Empúries	E	37	B4
Castelloli	E	37	C2
Castellterçol	E	37	C3
Castelmoron-sur-Lot	F	29	B3
Castelnau-de-Médoc	F	28	A2
Castelnau-de-Montmirail	F	29	C4
Castelnau-Magnoac	F	35	A4
Castelnau-Montratier	F	29	B4
Castelnaudary	F	36	A2
Castelnuovo Don Bosco	I	27	B4
Castelsarrasin	F	29	B4
Castets	F	28	C1
Castilfrio de la Sierra	E	34	C1
Castilgaleu	E	35	B4
Castilisar	E	34	B2
Castillon-la-Bataille	F	28	B2
Castillon-Len-Couserans	F	36	B2
Castillonès	F	29	B3
Castillonroy	E	35	C4
Castilruiz	E	34	C1
Castiria	F	38	A2
Castres	F	30	B1
Castricum	NL	2	B1
Castries	F	31	B2
Catillon	F	11	A3
Caudebec-en-Caux	F	9	A4
Caudiés-de-Fenouillèdes	F	36	B3
Caudry	F	11	A3
Caulnes	F	15	A3
Caumont-l'Evente	F	8	A3
Caunes-Minervois	F	36	A3
Cauro	F	38	B1
Caussade	F	29	B4
Causse-de-la-Selle	F	30	B2
Cauterets	F	35	B3
Cavaglia	I	27	B5
Cavaillon	F	31	B4
Cavalaire-sur-Mer	F	32	B2
Cavallermaggiore	I	27	C4
Cavignac	F	28	A2
Cavour	I	27	C4
Cayeux-sur-Mer	F	4	B1
Caylus	F	29	B4
Cayres	F	25	C3
Cazals	F	29	B4
Cazaubon	F	28	C3
Cazaux	F	28	B1
Cazavet	F	36	A2
Cazères	F	36	A2
Cazis	CH	21	C4
Cazouls-lès-Béziers	F	30	B2
Ceauce	F	8	B3
Ceilhes-et-Rocozels	F	30	B2
Celle Ligure	I	33	A4
Celles	B	5	B4
Celles-sur-Belle	F	23	B3
Cenac	F	19	C5
Centallo	I	33	A3
Centelles	E	37	C3
Cépet	F	29	C4
Cérans Foulletourte	F	16	B2
Cerbère	F	36	B4
Cercs	E	37	B2
Cercy-la-Tour	F	18	C2
Cerdon	F	17	B4
Ceresole-Reale	I	27	B4
Cereste	F	32	B1
Céret	F	36	B3
Cerfontaine	B	5	B4
Cergy	F	10	B2
Cérilly	F	17	C4
Cerisiers	F	18	B2
Cerizay	F	22	B3
Cernay	F	20	B2
Cérons	F	28	B2
Certosa di Pésio	I	33	A3
Cervera	E	37	C2
Cervera del Rio Alhama	E	34	B2
Cervià de les Garrigues	E	37	C1
Cervione	F	38	A2
Cervon	F	18	B2
Cesana Torinese	I	27	C3
Cessenon	F	30	B2
Cesson-Sévigné	F	15	A4
Cestas	F	28	B2
Ceva	I	33	A4
Cévio	CH	27	A5
Ceyrat	F	24	B3
Ceyzériat	F	26	A2
Chabanais	F	23	B4
Chabeuil	F	25	C4
Chablis	F	18	B2
Châbons	F	25	B5
Chabreloche	F	25	B3
Chabris	F	17	B3
Chagny	F	19	C3
Chailland	F	8	B3
Chaillé-les-Marais	F	22	B2
Chailles	F	17	B3
Chailley	F	18	A2
Chalabre	F	36	B3
Chalais	F	28	A3
Chalamont	F	26	B2
Châlette-sur-Loing	F	17	A4
Chalindrey	F	19	B4
Challans	F	22	B2
Challes-les-Eaux	F	26	B2
Chalmazel	F	25	B3
Chalmoux	F	18	C2
Chalon-sur-Saône	F	19	C3
Chalonnes-sur-Loire	F	16	B1
Châlons-en-Champagne	F	11	C4
Châlus	F	23	C4
Cham	CH	20	B3
Chamberet	F	24	B1
Chambéry	F	26	B2
Chambilly	F	25	A4
Chambley	F	12	B1
Chambly	F	10	B2
Chambois	F	9	B4
Chambon-sur-Lac	F	24	B2
Chambon-sur-Voueize	F	24	A2
Chambord	F	17	B3
Chamboulive	F	24	B1
Chamonix-Mont Blanc	F	27	B3
Chamoux-sur-Gelon	F	26	B3
Champagnac-le-Vieux	F	25	B3
Champagney	F	20	B1
Champagnole	F	19	C4
Champagny-Mouton	F	23	B4
Champaubert	F	11	C3
Champdeniers-St. Denis	F	23	B3
Champdieu	F	25	B4
Champdôtre	F	19	B4
Champeix	F	24	B3
Champéry	CH	27	A3
Champigne	F	16	B1
Champignelles	F	18	B2
Champigny-sur-Veude	F	16	B2
Champlitte-et-le-Prelot	F	19	B4
Champoluc	I	27	B4
Champoly	F	25	B3
Champorcher	I	27	B4
Champrond-en-Gâtine	F	9	B5
Champs-sur-Tarentaine	F	24	B2
Champs-sur-Yonne	F	18	B2
Champtoceaux	F	15	B4
Chamrousse	F	26	B2
Chanac	F	30	A2
Chanaleilles	F	25	C3
Changy	F	25	A3
Chaniers	F	23	C3
Chantelle	F	24	A3
Chantenay-St.-Imbert	F	18	C2
Chanteuges	F	25	B3
Chantilly	F	10	B2
Chantonnay	F	22	B2
Chapource	F	18	A3
Chapareillan	F	26	B2
Chapelle Royale	F	17	A3
Chapelle-St.-Laurent	F	16	C1
Charbonnat	F	18	C3
Charenton-du-Cher	F	17	C4
Charleroi	B	5	B4
Charleville-Mézières	F	11	B4
Charlieu	F	25	A4
Charly	F	10	C3
Charmes	F	12	C2
Charmes-sur-Rhône	F	25	C4
Charmey	CH	20	C2
Charny	F	18	B2
Charolles	F	25	A4
Chârost	F	17	C4
Charquemont	F	20	B1
Charrin	F	18	C2
Charroux	F	23	B4
Chartres	F	10	C1
Chasseneuil-sur-Bonnieure	F	23	C4
Chassigny	F	19	B4
Château-Arnoux	F	32	A2
Château-Chinon	F	18	B2
Château d'Oex	CH	20	C2
Château-d'Olonne	F	22	B2
Château-du-Loir	F	16	B2
Château-Gontier	F	16	B1
Château-la-Vallière	F	16	B2
Château-Landon	F	17	A4
Château-l'Evêque	F	29	A3
Château-Porcien	F	11	B4
Château-Renault	F	16	B2
Château-Salins	F	12	C2
Château-Thierry	F	11	B3
Châteaubernard	F	23	C3
Châteaubourg	F	15	A4
Châteaubriant	F	15	B4
Châteaudun	F	17	A3
Châteaugiron	F	15	A4
Châteaulin	F	14	A1
Châteaumeillant	F	17	C4
Châteauneuf, Nièvre	F	18	B2
Châteauneuf, Saône-et-Loire	F	25	A4
Châteauneuf-de-Randon	F	25	C3
Châteauneuf-d'Ille-et-Vilaine	F	8	B2
Châteauneuf-du-Faou	F	14	A2
Châteauneuf-du-Pape	F	31	A3
Châteauneuf-en-Thymerais	F	9	B5
Châteauneuf-la-Forêt	F	24	B1
Châteauneuf-le-Rouge	F	32	B1
Châteauneuf-sur-Charente	F	23	C3
Châteauneuf-sur-Cher	F	17	C4
Châteauneuf-sur-Loire	F	17	B4
Châteauneuf-sur-Sarthe	F	16	B1
Châteauponsac	F	23	B5
Châteauredon	F	32	A2
Châteaurenard, Bouches du Rhône	F	31	B3
Châteaurenard, Loiret	F	18	B1
Châteauroux	F	17	C3
Châteauroux-les-Alpes	F	26	C2
Châteauvillain	F	19	A3
Châtel	F	27	A3
Châtel-Censoir	F	18	B2
Châtel-de-Neuvre	F	24	A3
Châtel-Montagne	F	25	A3
Châtel-St. Denis	CH	20	C1
Châtel-sur-Moselle	F	12	C2
Châtelaillon-Plage	F	22	B2
Châtelaudren	F	14	A3
Châtelet	B	5	B4
Châtelguyon	F	24	B3
Châtellerault	F	23	B4
Châtelus-Malvaleix	F	24	A2
Châtenois	F	19	A4
Châtillon-Coligny	F	17	A4
Châtillon-en-Bazois	F	18	B2
Châtillon-en-Diois	F	26	C2
Châtillon-sur-Chalaronne	F	25	A4
Châtillon-sur-Indre	F	17	C3
Châtillon-sur-Loire	F	17	B4
Châtillon-sur-Marne	F	11	B3
Châtillon-sur-Seine	F	18	B3
Châtres	F	11	C3
Chaudes-Aigues	F	24	C3
Chauffailles	F	25	A4
Chaulnes	F	10	B2
Chaument Gistoux	B	5	B4
Chaumergy	F	19	C4
Chaumont	F	19	A4
Chaumont-en-Vexin	F	10	B1
Chaumont-Porcien	F	11	B4
Chaumont-sur-Aire	F	11	C5
Chaumont-sur-Loire	F	17	B3
Chaunay	F	23	B4
Chauny	F	10	B3
Chaussin	F	19	C4
Chauvigny	F	23	B4
Chazelles-sur-Lyon	F	25	B4
Chazey-Bons	F	26	B2
Chef-Boutonne	F	23	B3
Chelles	F	10	C2
Chémery	F	17	B3
Chemery-sur-Bar	F	11	B4
Chemillé	F	16	B1
Chemin	F	19	C4
Chénerailles	F	24	A2
Chenonceaux	F	17	B3
Chenôve	F	19	B3
Cherasco	I	27	C4
Cherbonnières	F	23	C3
Cherbourg	F	8	A2
Chéroy	F	18	A2
Cherves	F	23	C3
Chessy-lès-Pres	F	18	B2
Chevagnes	F	18	C2
Chevanceaux	F	28	A2
Chevillon	F	11	C5
Chevilly	F	17	A3
Chèzery-Forens	F	26	A2
Chialamberto	I	27	B4
Chianale	I	33	A3
Chiché	F	16	C1
Chieri	I	27	B4
Chileurs-aux-Bois	F	17	A4
Chimay	B	11	A4
Chinon	F	16	B2
Chiomonte	I	27	B3
Chirac	F	30	A2
Chirens	F	26	B2
Chissey-en-Morvan	F	18	B3
Chiusa di Pésio	I	33	A3
Chivasso	I	27	B4
Cholet	F	16	B1
Chomerac	F	25	C4
Chorges	F	32	A2
Chouilly	F	11	B3
Chouzy-sur-Cisse	F	17	B3
Chur	CH	21	C4
Churwalden	CH	21	C4
Cierp	F	35	B4
Cieutat	F	35	A4
Cigliano	I	27	B5
Cimalmotto	CH	27	A5
Ciney	B	5	B5
Cinq-Mars-la-Pile	F	16	B2
Cintegabelle	F	36	A2
Cintruénigo	E	34	B2
Ciney-sur-Vezouze	F	12	C2
Ciriè	I	27	B4
Ciry-le-Noble	F	18	C3
Cissac-Médoc	F	28	A2
Civray	F	23	B4
Cizur Mayor	E	34	B2
Çjutadilla	E	37	C2
Clairvaux-les-Lacs	F	19	C4
Clamecy	F	18	B2
Claye-Souilly	F	10	C2
Cléder	F	14	A1
Clefmont	F	19	A4
Cléguérec	F	14	A2
Cléon-d'Andran	F	25	C4
Clelles	F	26	C2
Clères	F	9	A5
Clermont	F	10	B2
Clermont-en-Argonne	F	11	B5
Clermont-Ferrand	F	24	B3
Clermont-l'Hérault	F	30	B2
Clerval	F	19	B5
Cléry-St. André	F	17	B3
Clisson	F	15	B4
Clohars-Carnoët	F	14	B2
Cloppenburg	D	3	B5
Cloyes-sur-le-Loir	F	17	B3
Cluis	F	17	C3
Cluny	F	25	A4
Cluses	F	26	A3
Cochem	D	6	B3
Coesfeld	D	3	C4
Coevorden	NL	3	B3
Cognac	F	23	C3
Cogne	I	27	B4
Cognin	F	26	B2
Cogolin	F	32	B2
Cölbe	D	7	B4
Colera	E	36	B4
Coligny	F	26	A2
Coll de Nargó	E	37	B2
Collat	F	25	B3
Collinée	F	15	A3
Collinghorst	D	3	A4
Collobrières	F	32	B2
Collonges	F	26	A2
Colmar	F	20	A2
Colmars	F	32	A2
Cologne = Köln	D	6	B2
Cologne	F	29	C3
Colombey-les-Belles	F	12	C1
Colombey-les-deux-Églises	F	19	A3
Colomers	E	37	B3
Colomiers	F	29	C4
Coma-ruga	E	37	C2
Combeaufontaine	F	19	B4
Combourg	F	15	A4
Combronde	F	24	B3
Comines	F	4	B3
Commensacq	F	28	B2
Commentry	F	24	A2
Commercy	F	12	C1
Compiègne	F	10	B2
Comps-sur-Artuby	F	32	B2
Concarneau	F	14	B2
Conches-en-Ouche	F	9	B5
Concots	F	29	B4
Condat	F	24	B2
Condé-en-Brie	F	11	C3
Condé-sur-l'Escaut	F	5	B4
Condé-sur-Marne	F	11	B4
Condé-sur-Noireau	F	8	B3
Condom	F	29	C3
Condove	I	27	B4
Condrieu	F	25	B4
Conflans-sur-Lanterne	F	19	B5
Confolens	F	23	B4
Conliège	F	19	C4
Connantre	F	11	C3
Connaux	F	31	A3
Connerré	F	16	A2
Conques	F	24	C2
Conques-sur-Orbiel	F	36	A3
Conservoye	F	11	B5
Constantí	E	37	C2
Contay	F	10	B2
Conthey	CH	27	A4
Contis-Plage	F	28	B1
Contres	F	17	B3
Contrevèville	F	19	A4
Conty	F	10	B2
Coole	F	11	C4
Coray	F	14	A2
Corbeil-Essonnes	F	10	C2
Corbeny	F	11	B3
Corbie	F	10	B2
Corbigny	F	18	B2
Corbion	B	11	B4
Cordes-sur-Ciel	F	29	B4
Corella	E	34	B2
Cório	I	27	B4
Corlay	F	14	A2
Cormainville	F	17	A3
Cormatin	F	18	C3
Cormeilles	F	9	A4
Cormery	F	16	B2
Cormoz	F	26	A2
Cornago	E	34	B1
Cornimont	F	20	B1
Cornudella de Montsant	E	37	C1
Cornus	F	30	B2
Corps	F	26	C2
Corps Nuds	F	15	B4
Corrèze	F	24	B1
Corte	F	38	A2
Cortemilia	I	33	A4
Cortes	E	34	C2
Cosne-Cours-sur-Loire	F	18	B1
Cosne d'Allier	F	17	C4
Cossato	I	27	B5
Cossaye	F	18	C2
Cossé-le-Vivien	F	15	B5
Cossonay	CH	19	C5
Costaros	F	25	C3
Costigliole d'Asti	I	27	C5
Costigliole Saluzzo	I	33	A3
Coublanc	F	18	B4
Couches	F	18	C3
Coucouron	F	25	C3
Coucy-le-Château-Auffrique	F	10	B3
Couëron	F	15	B4
Couflens	F	36	B2
Couhé	F	23	B4
Couiza	F	36	B3
Coulanges	F	18	B2
Coulanges-la-Vineuse	F	18	B2
Coulanges-sur-Yonne	F	18	B2
Couleuvre	F	18	C1
Coulmier-le-Sec	F	18	B3
Coulommes	F	10	C3
Coulonges-sur-l'Autize	F	22	B3
Coulounieix-Chamiers	F	29	A3
Coupéville	F	11	C4
Couptrain	F	9	B3
Cour-Cheverny	F	17	B3
Cour-et-Buis	F	25	B4
Courcelles	B	5	B4
Courcelles-Chaussy	F	12	B2
Courchevel	F	26	B3
Courçôme	F	23	C4
Courçon	F	22	B3
Courgenay	CH	20	B2
Courmayeur	I	27	B3
Cournon	F	30	B1
Cournon-d'Auvergne	F	24	B3
Cournonterral	F	30	B2
Courpière	F	25	B3
Coursan	F	30	B2
Cours-la-Ville	F	25	A4
Coursegoules	F	33	B3
Courseulles-sur-Mer	F	9	A3
Courson-les-Carrières	F	18	B2
Courtalain	F	17	A3
Courtenay	F	18	A2
Courtomer	F	9	B4
Courville, Eure-et-Loire	F	9	B5
Courville, Marne	F	11	B3
Coussac-Bonneval	F	23	C5
Coutances	F	8	A2
Couterne	F	9	B3
Coutras	F	28	A2
Couvet	CH	20	C1
Couvin	B	11	A4
Couzon	F	18	C2
Cox	F	29	C4
Cozes	F	22	C3
Cozzano	F	38	B2
Craon	F	16	B1
Craonne	F	11	B3
Craponne	F	25	B4
Craponne-sur-Arzon	F	25	B3
Crèches-sur-Saône	F	25	A4
Crécy-en-Ponthieu	F	4	B1

Place	Ctry	Pg	Grid
Crécy-la-Chapelle	F	10	C2
Crécy-sur-Serre	F	11	B3
Creil	F	10	B2
Creissels	F	30	A2
Cremeaux	F	25	B3
Crémieu	F	26	B2
Creney	F	11	C4
Créon	F	28	B2
Crépey	F	12	C1
Crépy	F	11	B3
Crépy-en-Valois	F	10	B2
Crescentino	I	27	B5
Cressensac	F	29	A4
Cressia	F	19	C4
Crest	F	25	C4
Cresta	CH	21	C4
Créteil	F	10	C2
Creully	F	8	A3
Creutzwald	F	12	B2
Crèvecœur-le-Grand	F	10	B2
Crévola d'Ossola	I	27	A5
Criel-sur-Mer	F	10	A1
Crillon	F	10	B1
Criquetot-l'Esneval	F	9	A4
Crissolo	I	27	C4
Crocq	F	24	B2
Croco	I	27	A5
Cronat	F	18	C2
Crouy	F	10	B3
Crozon	F	14	A1
Cruas	F	25	C4
Cruis	F	32	A1
Cruseilles	F	26	B3
Cubelles	E	37	C2
Cubjac	F	29	A3
Cucuron	F	31	B4
Cuers	F	32	B2
Cueva de Agreda	E	34	C2
Cuges-les-Pins	F	32	B1
Cugnaux	F	29	C4
Cuijk	NL	6	A1
Cuinzier	F	25	A4
Cuiseaux	F	19	C4
Cuisery	F	19	C4
Culan	F	17	C4
Culemborg	NL	5	A5
Cully	CH	20	C1
Culoz	F	26	B2
Cumiana	I	27	C4
Cuneo	I	33	A3
Cunlhat	F	25	B3
Cuorgnè	I	27	B4
Cusset	F	25	A3
Cussy-les-Forges	F	18	B3
Custines	F	12	C2
Cuts	F	10	B3
Cuvilly	F	10	B2

D

Place	Ctry	Pg	Grid
Daaden	D	7	B3
Dabo	F	12	C3
Dagmersellen	CH	20	B2
Dahn	D	13	B3
Dalaas	A	21	B5
Dalheim	F	12	B2
Daluis	F	32	A2
Dalum	D	3	B4
Damazan	F	29	B3
Dammarie-les-Lys	F	10	C2
Dammartin-en-Goële	F	10	B2
Damme	D	3	B5
Dampierre	F	19	B4
Dampierre-sur-Salon	F	19	B4
Damüls	A	21	B4
Damville	F	9	B5
Damvillers	F	12	B1
Damwoude	NL	2	A2
Dangé-St. Romain	F	16	C2
Dangers	F	9	B5
Dangeul	F	9	B4
Danjoutin	F	20	B1
Dannemarie	F	20	B2
Daoulas	F	14	A1
Darfeld	D	3	B4
Darmstadt	D	13	B4
Darney	F	19	A5
Datteln	D	6	A3
Dattenfeld	D	7	B3
Daumeray	F	16	B1
Daun	D	6	A2
Davos	CH	21	C4
Dax	F	28	C1
De Cocksdorp	NL	2	A1
De Haan	B	2	A3
De Koog	NL	2	A1
De Panne	B	4	A2
De Wijk	NL	3	B3
Deauville	F	9	A4
Decazeville	F	30	A1
Decize	F	18	C2
Dedemsvaart	NL	3	B3
Dego	I	33	A4
Deinze	B	5	B3
Delbrück	D	7	A4
Delden	NL	3	B3
Delémont	CH	20	B2
Delft	NL	5	A4
Delfzijl	NL	3	A3
Delle	F	20	B2
Delme	F	12	C2
Demigny	F	19	C3
Demonte	I	33	A3
Den Burg	NL	2	A1
Den Ham	NL	3	B3
Den Helder	NL	2	B1
Den Oever	NL	2	B2
Denain	F	5	A4
Dender-monde	B	5	A4
Denekamp	NL	3	B4
Denklingen	D	7	B3
Déols	F	17	C3
Derval	F	15	B4
Desana	I	27	B5
Descartes	F	16	C2
Desvres	F	4	B1
Dettingen, Baden-Württemberg	D	21	B4
Dettwiller	F	13	C3
Deurne	NL	6	A1
Deventer	NL	3	B3
Diano d'Alba	I	27	C5
Diano Marina	I	33	B4
Die	F	26	C2
Diebling	F	12	B2
Dieburg	D	13	B4
Diekirch	L	12	B2
Diélette	F	8	A2
Diemoz	F	26	B2
Diepenbeek	B	5	B5
Diepholz	D	3	B5
Dieppe	F	9	A5
Dierdorf	D	7	B3
Dieren	NL	3	B3
Diest	B	5	B5
Dietikon	CH	20	B3
Dietzenbach	D	13	A4
Dieue-sur-Meuse	F	12	B1
Dieulefit	F	31	A4
Dieulouard	F	12	C2
Dieuze	F	12	C2
Diever	NL	3	B3
Diez	D	7	B4
Differdange	L	12	B1
Dignac	F	23	C4
Digne-les-Bains	F	32	A2
Digny	F	9	B5
Digoin	F	18	C2
Dijon	F	19	B4
Diksmuide	B	4	A2
Dillenburg	D	7	B4
Dillingen, Saarland	D	12	B2
Dilsen	B	5	B5
Dinan	F	15	A3
Dinant	B	5	B4
Dingden	D	6	A2
Dinkelsbühl	D	21	A6
Dinslaken	D	6	A2
Dinxperlo	NL	6	A2
Diou	F	18	C2
Dirksland	NL	5	A4
Disentis	CH	21	C3
Dissen	D	3	B5
Ditzingen	D	13	C5
Ditzum	D	3	A4
Dives-sur-Mer	F	9	A3
Divion	F	4	B2
Divonne les Bains	F	26	A3
Dixmont	F	18	B2
Dizy-le-Gros	F	11	B4
Dochamps	B	6	B1
Doesburg	NL	3	B3
Doetinchem	NL	3	B3
Dogliani	I	33	A3
Doische	B	11	A4
Dokkum	NL	2	A2
Dol-de-Bretagne	F	8	B2
Dolancourt	F	18	A3
Dolceácqua	I	33	B3
Dole	F	19	B4
Dollot	F	18	A2
Domat-Ems	CH	21	C4
Dombasle-sur-Meurthe	F	12	C2
Domène	F	26	B2
Domérat	F	24	A2
Domfessel	F	12	C3
Domfront	F	8	B3
Domfront-en-Champagne	F	16	A2
Dommartin	F	11	C4
Dommartin-le-Franc	F	11	C4
Domme	F	29	B4
Domodóssola	I	27	A5
Dompaire	F	12	C2
Dompierre-du-Chemin	F	8	B2
Dompierre-sur-Besbre	F	18	C2
Dompierre-sur-Mer	F	22	B2
Domrémy-la-Pucelle	F	12	C1
Domsure	F	26	A2
Donaueschingen	D	20	B3
Donestebe-Santesteban	E	34	A2
Donges	F	15	B3
Donnemarie-Dontilly	F	10	C3
Donostia-San Sebastián	E	34	A2
Donzenac	F	29	A4
Donzère	F	31	A3
Donzy	F	18	B2
Doorn	NL	5	A5
Dordrecht	NL	5	A4
Dörenthe	D	3	B4
Dormagen	D	6	A2
Dormans	F	11	B3
Dornbirn	A	21	B4
Dornburg	D	7	B4
Dornecy	F	18	B2
Dornes	F	18	C2
Dornhan	D	13	C4
Dörpen	D	3	B4
Dorsten	D	6	A2
Dortan	F	26	A2
Dortmund	D	6	A3
Dottignies	B	4	B3
Döttingen	CH	20	B3
Douai	F	4	B3
Douarnenez	F	14	A1
Douchy	F	18	B2
Douchy-les-Mines	F	4	B3
Doucier	F	19	C4
Doudeville	F	9	A4
Doué-la-Fontaine	F	16	B1
Doulaincourt	F	11	C5
Doulevant-le-Château	F	11	C4
Doullens	F	10	A2
Dour	B	5	B3
Dourdan	F	10	C2
Dourgne	F	36	A3
Dournazac	F	23	C4
Douvaine	F	26	A3
Douvres-la-Délivrande	F	9	A3
Douzy	F	11	B5
Doyet	F	24	A2
Dozule	F	9	A3
Drachten	NL	2	A3
Draguignan	F	32	B2
Dreieich	D	13	A4
Dreisen	D	13	B4
Drensteinfurt	D	7	A3
Dreux	F	9	B5
Dringenberg	D	7	A5
Dronrijp	NL	2	A2
Dronten	NL	3	A2
Droué	F	17	A3
Drulingen	F	12	C3
Drunen	NL	5	A5
Dübendorf	CH	21	B3
Ducey	F	8	B2
Duclair	F	9	A4
Duffel	B	5	A4
Dugny-sur-Meuse	F	12	B1
Duisburg	D	6	A2
Dülken	D	6	A2
Dülmen	D	6	A3
Dümpelfeld	D	6	B2
Dun-le-Palestel	F	24	A1
Dun-les-Places	F	18	B3
Dun-sur-Auron	F	17	C4
Dun-sur-Meuse	F	11	B5
Dunkerque = Dunkirk	F	4	A2
Dunkirk = Dunkerque	F	4	A2
Dunningen	D	21	A3
Durach	D	21	B5
Durance	F	28	B3
Duras	F	28	B3
Durban-Corbières	F	36	B3
Dürbheim	D	21	A3
Durbuy	B	5	B5
Düren	D	6	B2
Durlach	D	13	C4
Dürrboden	CH	21	C4
Dürrenboden	CH	21	C3
Durtal	F	16	B1
Düsseldorf	D	6	A2
Dusslingen	D	13	C5

E

Place	Ctry	Pg	Grid
Eaux-Bonnes	F	35	B3
Eauze	F	28	C3
Eberbach	D	13	B4
Ebnat-Kappel	CH	21	B4
Ebreuil	F	24	A3
Echallens	CH	20	C1
Echauri	E	34	B2
Echiré	F	22	B3
Echirolles	F	26	B2
Echourgnac	F	28	A3
Echt	NL	6	A1
Echternach	L	12	B2
Eckelshausen	D	7	B4
Éclaron	F	11	C4
Écommoy	F	16	B2
Écouché	F	9	B3
Ecouis	F	10	B1
Écueillé	F	17	B3
Edam	NL	2	B2
Ede	NL	5	A5
Edenkoben	D	13	B4
Edesheim	D	13	B4
Edewecht	D	3	A4
Eekloo	B	5	A3
Eemshaven	NL	3	A3
Eerbeek	NL	3	B3
Eersel	NL	5	A5
Effiat	F	24	A3
Egg	A	21	B4
Egg	D	21	A5
Éghezée	B	5	B4
Égletons	F	24	B1
Égliseneuve-d'Entraigues	F	24	B2
Eglofs	D	21	B4
Egmond aan Zee	NL	2	B1
Eguilles	F	31	B4
Éguilly-sous-Bois	F	11	C4
Éguzon-Chantôme	F	24	A1
Ehrang	D	12	B2
Ehringshausen	D	7	B4
Eibergen	NL	3	B3
Eickelborn	D	7	A4
Eindhoven	NL	5	A5
Einsiedeln	CH	21	B3
Einville-au-Jard	F	12	C2
Eisenberg, Rheinland-Pfalz	D	13	B4
Eitorf	D	6	B3
Ejea de los Caballeros	E	34	B2
Eke	B	5	B3
El Buste	E	34	C2
El Frago	E	34	B2
El Grado	E	35	B4
El Masnou	E	37	C3
El Morell	E	37	C2
El Pla de Santa Maria	E	37	C2
El Pont d'Armentera	E	37	C2
El Port de la Selva	E	37	B4
El Port de Llançà	E	36	B4
El Prat de Llobregat	E	37	C3
El Serrat	AND	36	B2
El Temple	E	34	C3
El Tormillo	E	35	C3
El Vendrell	E	37	C2
El Villar de Arnedo	E	34	B1
Élancourt	F	10	C1
Elbeuf	F	9	A5
Elburg	NL	2	B2
Elizondo	E	34	A2
Ellezelles	B	5	B3
Elm	D	21	C4
Elmstein	D	13	B3
Elne	F	36	B3
Éloyes	F	19	A5
Els Castells	E	37	B2
Elsdorf	D	6	B2
Elsenfeld	D	13	B5
Elspeet	NL	2	B2
Elst	NL	5	A5
Eltville	D	13	A4
Elven	F	15	B3
Elzach	D	20	A3
Embrun	F	32	A2
Embún	E	34	B3
Emden	D	3	A4
Emlichheim	D	3	B3
Emmeloord	NL	2	B2
Emmen	NL	3	B3
Emmendingen	D	20	A3
Emmer-Compascuum	NL	3	B4
Emmerich	D	6	A2
Emsbüren	D	3	B4
Emsdetten	D	3	B4
Emstek	D	3	B5
Encamp	AND	36	B2
Enciso	E	34	B1
Endingen	D	20	A3
Engelberg	CH	20	C3
Engelskirchen	D	7	B3
Engen	D	21	B3
Enghien	B	5	B4
Engter	D	3	B5
Enkenbach	D	13	B3
Enkhuizen	NL	2	B2
Ennezat	F	24	B3
Ennigerloh	D	7	A4
Ens	NL	2	B2
Enschede	NL	3	B3
Ensisheim	F	20	B2
Entlebuch	CH	20	C3
Entracque	I	33	A3
Entrains-sur-Nohain	F	18	B2
Entraygues-sur-Truyère	F	24	C2
Entrevaux	F	32	B2
Entzheim	F	13	C3
Envermeu	F	9	A5
Enzklösterle	D	13	C4
Épagny	F	10	B3
Épalinges	CH	20	C1
Epannes	F	22	B3
Épe	NL	2	B2
Épernay	F	11	B3
Épernon	F	10	C1
Épfig	F	13	C3
Épierre	F	26	B3
Épinac	F	18	C3
Épinal	F	19	A5
Époisses	F	18	B3
Eppenbrunn	D	13	B3
Eppingen	D	13	B5
Erbach, Hessen	D	13	B4
Erbalunga	F	38	A2
Ercé	F	35	B4
Erfstadt	D	6	B2
Eriswil	CH	20	B2
Erkelenz	D	6	A2
Erkrath	D	6	A2
Erla	E	34	B1
Erli	I	33	A4
Ermelo	NL	2	B2
Ermenonville	F	10	B2
Erndtebrück	D	7	B4
Ernée	F	8	B3
Erolzheim	D	21	A5
Erquelinnes	B	5	B4
Erquy	F	14	A3
Erratzu	E	34	A2
Erro	E	34	B2
Ersa	F	38	A2
Erstein	F	13	C3
Erstfeld	D	21	C3
Ervy-le-Châtel	F	18	A2
Erwitte	D	7	A4
Esbly	F	10	C2
Esch-sur-Alzette	L	12	B1
Esch-sur-Sûre	L	12	B1
Eschach	D	21	B4
Eschenz	CH	21	B3
Eschweiler	D	6	B2
Escos	F	34	A2
Escource	F	28	B1
Escragnolles	F	32	B2
Esens	D	3	A4
Eslava	E	34	B2
Eslohe	D	7	A4
Espalion	F	30	A1
Esparreguera	E	37	C2
Esparron	F	32	B1
Espeluche	F	31	A3
Espéraza	F	36	B3
Espinasses	F	32	A2
Espinelves	E	37	C3
Espluga de Francolí	E	37	C2
Esplús	E	35	C4
Espot	E	36	B3
Esquedas	E	35	B3
Essay	F	9	B4
Essen, Niedersachsen	D	3	B4
Essen, Nordrhein-Westfalen	D	6	A3
Essertaux	F	10	B2
Essoyes	F	18	A3
Estadilla	E	35	B4
Estagel	F	36	B3
Estaires	F	4	B2
Estang	F	28	C2
Estartit	E	37	B4
Estavayer-le-Lac	CH	20	C1
Estella	E	34	B1
Esternay	F	11	C3
Esterri d'Aneu	E	36	B2
Esterwegen	D	3	B4
Estissac	F	18	A2
Estivareilles	F	24	A2
Estopiñán	E	35	C4
Estoublon	F	32	B2
Estrée-Blanche	F	4	B2
Estrées-St. Denis	F	10	B2
Esyres	F	16	B2
Étables-sur-Mer	F	14	A3
Étain	F	12	B1
Étalans	F	19	B5
Étalle	B	12	B1
Étampes	F	10	C2
Étang-sur-Arroux	F	18	C3
Étaples	F	4	B1
Etauliers	F	28	A2
Etoges	F	11	C3
Étréaupont	F	11	B3
Étréchy	F	10	C2
Étrepagny	F	10	B1
Étretat	F	9	A4
Étreungt	F	11	A4
Étroubles	I	27	B4
Ettelbruck	L	12	B2
Etten	B	5	A4
Ettenheim	D	13	C3
Ettlingen	D	13	C4
Etuz	F	19	B4
Etxarri-Aranatz	E	34	B1
Eu	F	10	A1
Eulate	E	34	B1
Eupen	B	6	B2
Europoort	NL	5	A4
Euskirchen	D	6	B2
Évaux-les-Bains	F	24	A2
Evergem	B	5	A3
Eversberg	D	7	A4
Everswinkel	D	7	A3
Évian-les-Bains	F	26	A3
Evisa	F	38	A1
Evolène	CH	27	A4
Evran	F	15	A4
Evrecy	F	9	A3
Évreux	F	9	A5
Évron	F	16	A1
Évry	F	10	C2
Ewersbach	D	7	B4
Excideuil	F	23	C5
Exmes	F	9	B4
Eyguians	F	32	A1
Eyguières	F	31	B3
Eygurande	F	24	B2
Eylie	F	35	B4
Eymet	F	29	B3
Eymoutiers	F	24	B1
Ezcároz	E	34	B2

F

Place	Ctry	Pg	Grid
Fabrègues	F	30	B2
Fagnières	F	11	C4
Faido	CH	21	C3
Fains	F	11	C5
Falaise	F	9	B3
Falces	E	34	B2
Falset	E	37	C1
Fanjeaux	F	36	A3
Fara Novarese	I	27	B5
Farasdues	E	34	B2
Faucogney-et-la-Mer	F	19	B5
Fauguerolles	F	28	B3
Fauquembergues	F	4	B2
Fauville-en-Caux	F	9	A4
Fauverney	F	19	B4
Faverges	F	26	B3
Faverney	F	19	B5
Fay-aux-Loges	F	17	B4
Fayence	F	32	B2
Fayet	F	30	B1
Fayl-Billot	F	19	B4
Fécamp	F	9	A4
Feldkirch	A	21	B4
Felletin	F	24	B2
Felsberg	D	7	A5
Fene	E	34	A2
Fenestrelle	I	27	B4
Fénétrange	F	12	C3
Feneu	F	16	B1
Fère-Champenoise	F	11	C3
Fère-en-Tardenois	F	11	B3
Fermay-Voltaire	F	26	A3
Ferpècle	CH	27	A4
Ferrals-les-Corbières	F	36	A3
Ferret	CH	27	B4
Ferrette	F	20	B2
Ferrière-la-Grande	F	5	B4
Ferrières, Hautes-Pyrénées	F	35	A3
Ferrières, Loiret	F	17	A4
Ferrières, Oise	F	10	B2
Ferrières-sur-Sichon	F	25	A3
Ferwerd	NL	2	A2
Festieux	F	11	B3
Feudingen	D	7	B4
Feuges	F	11	C4
Feuquières	F	10	B1
Feurs	F	25	B4
Fiano	I	27	B4
Fiesch	CH	27	A5
Figari	F	38	B2
Figeac	F	24	C2
Figols	E	35	B3
Figueres	E	37	B3
Filisur	CH	21	C4
Finale Ligure	I	33	A4
Finsterwolde	NL	3	A4
Firmi	F	30	A1
Firminy	F	25	B4
Fischbach	D	13	B3
Fischen	D	21	B5
Fismes	F	11	B3
Fitero	E	34	B2
Flaça	E	37	B3
Flace	F	25	A4
Flaine	F	26	A3
Flamatt	CH	20	C2
Flammersfeld	D	7	B3
Flassans-sur-Issole	F	32	B2
Flavigny-sur-Moselle	F	12	C2
Flavy-le-Martel	F	10	B3
Flawil	CH	21	B4
Flayosc	F	32	B2
Flehingen	D	13	B4
Flers	F	8	B3
Fleurance	F	29	C3
Fleuré	F	23	B4
Fleurier	CH	20	C1
Fleurus	B	5	B4
Fleury, Hérault	F	30	B2
Fleury, Yonne	F	18	B2
Fleury-les-Aubrais	F	17	B3
Fleury-sur-Andelle	F	9	A5
Fleury-sur-Orne	F	9	A3
Flieden	D	7	B5
Flims	CH	21	C4
Flines-lèz-Raches	F	4	B3
Flirey	F	12	C1
Flixecourt	F	10	A2
Flize	F	11	B4
Flobecq	B	5	B3
Flogny-la-Chapelle	F	18	B2
Flonheim	D	13	B4
Florac	F	30	A2
Floreffe	B	5	B4
Florennes	B	5	B4
Florensac	F	30	B2
Florentin	F	29	C5
Florenville	B	11	B5
Flörsheim	D	13	A4
Flühli	CH	20	C3
Flumet	F	26	B3
Flums	CH	21	B4
Foix	F	36	B2
Folelli	F	38	A2
Foncine-le-Bas	F	19	C5
Font-Romeu	F	36	B3
Fontaine	F	11	C4
Fontaine de Vaucluse	F	31	B4
Fontaine-Française	F	19	B4
Fontaine-le-Dun	F	9	A4
Fontainebleau	F	10	C2
Fontan	F	33	A3
Fontenay-le-Comte	F	22	B3
Fontenay-Trésigny	F	10	C2
Fontevraud-l'Abbaye	F	16	B2
Fontoy	F	12	B1
Fontpédrouse	F	36	B3
Fonz	E	35	B4
Forbach	D	13	B3
Forbach	F	12	B2
Forcalquier	F	32	B1
Forges-les-Eaux	F	10	B1
Formazza	I	27	A5
Formerie	F	10	B1
Formigliana	I	27	B5
Formiguères	F	36	B3

Place	C	Pg	Grid
Forno, *Piemonte*	I	27	B5
Forno, *Piemonte*	I	27	B5
Forno Alpi-Gràie	I	27	B4
Fort-Mahon-Plage	F	4	B1
Fos	F	35	B4
Fos-sur-Mer	F	31	B3
Fossano	I	33	A3
Fosse-la-Ville	B	5	B4
Fouchères	F	18	A3
Fouesnant	F	14	B1
Foug	F	12	C1
Fougères	F	8	B2
Fougerolles	F	19	B5
Foulain	F	19	A4
Fouras	F	22	C2
Fourchambault	F	18	B2
Fourmies	F	11	A4
Fournels	F	24	C3
Fournols	F	25	B3
Fourques	F	38	B3
Fourquevaux	F	36	A2
Fours	F	18	C2
Frabosa Soprana	I	33	A3
Fraire	B	5	B4
Fraize	F	20	A1
Francaltroff	F	12	C2
Francescas	F	29	B3
Franeker	NL	2	A2
Frangy	F	26	A2
Frankenau	D	7	A4
Frankenberg, *Hessen*	D	7	A4
Frankenthal	D	13	B4
Frankfurt, *Hessen*	F	7	A4
Frasne	F	19	C5
Frasnes-lez-Anvaing	B	5	B3
Frasseto	F	38	B2
Frastanz	A	21	B4
Frauenfeld	CH	21	B3
Frayssinet	F	29	B4
Frayssinet-le-Gélat	F	29	B4
Frechen	D	6	B2
Freckenhorst	D	3	C4
Fredeburg	D	7	A4
Freiburg, *Baden-Württemberg*	D	20	B2
Freienhagen	D	7	A4
Freiensteinau	D	7	B5
Freisen	D	12	B3
Fréjus	F	32	B2
Freren	D	3	B4
Fresnay-sur-Sarthe	F	9	B4
Fresne-St. Mamès	F	19	B4
Fresnes-en-Woevre	F	12	B1
Fresnoy-Folny	F	10	B1
Fresnoy-le-Grand	F	11	B3
Fresserville	F	10	A1
Fréteval	F	17	B3
Fretigney	F	19	B4
Freudenberg, *Nordrhein-Westfalen*	D	7	B3
Freudenstadt	D	13	C4
Freux	B	12	B1
Frévent	F	4	B2
Freyming-Merlebach	F	12	B2
Fribourg	CH	20	C2
Frick	CH	20	B3
Friedberg, *Hessen*	D	7	B4
Friedeburg	D	3	A4
Friedrichsdorf	D	7	B4
Friedrichshafen	D	21	B4
Friesenheim	D	13	C3
Friesoythe	D	3	A4
Fritzlar	D	7	A5
Froges	F	26	B2
Frohnhausen	D	7	B4
Froissy	F	10	B2
Fröndenberg	D	7	A3
Fronsac	F	28	B2
Front	F	27	B4
Frontenay-Rohan-Rohan	F	22	B3
Frontignan	F	30	B2
Fronton	F	29	C4
Frouard	F	12	C2
Fruges	F	4	B2
Frutigen	CH	20	C2
Fuencaliente	E	34	C2
Fully	CH	27	A4
Fumay	F	11	A4
Fumel	F	29	B3
Fürstenau, *Niedersachsen*	D	3	B4
Furstenau, *Nordrhein-Westfalen*	D	7	A5
Fürth, *Hessen*	F	13	B4
Furtwangen	D	20	A3
Fusio	CH	27	A3
Fustiñana	E	34	B2

G

Place	C	Pg	Grid
Gabarret	F	28	C2
Gabriac	F	30	A1
Gaby	I	27	B4
Gacé	F	9	B4
Gadmen	CH	20	C3
Gael	F	15	A3
Gaggenau	D	13	C4
Gaillac	F	29	C4
Gaillefontaine	F	10	B1
Gaillon	F	9	A5
Gaja-la-Selve	F	36	A2
Galan	F	35	A4
Galéria	F	38	A1
Galgon	F	28	B2
Gallardon	F	10	C1
Gallur	E	34	C2
Galtür	A	21	C5
Gamaches	F	10	B1
Gammertingen	D	21	A4
Gams	CH	21	B4
Gan	F	35	A3
Ganges	F	30	B2
Gannat	F	24	A3
Gannay-sur-Loire	F	18	C2
Gap	F	32	A2
Gardanne	F	31	B4
Gardouch	F	36	A2
Garein	F	28	B2
Garéoult	F	32	B2
Garéssio	I	33	A3
Gargellen	A	21	C4
Gargliesse-Dampierre	F	17	C3
Garlin	F	28	C2
Garnat-sur-Engièvre	F	18	C2
Garrel	D	3	B5
Garriguella	E	36	B4
Gaschurn	A	21	C5
Gasny	F	10	B1
Gastes	F	28	B1
Gattinara	I	27	B5
Gava	E	37	C3
Gavarnie	F	35	B3
Gavray	F	8	B2
Géaudot	F	11	C4
Geaune	F	28	C2
Gedern	D	7	B5
Gedinne	B	11	B4
Gèdre	F	35	B4
Geel	B	5	A4
Geetbets	B	5	B5
Geilenkirchen	D	6	B2
Geinsheim	D	13	B4
Geisenheim	D	13	B4
Geisingen	D	21	B3
Geldermalsen	NL	5	A5
Geldern	D	6	A2
Geldrop	NL	6	A1
Geleen	NL	6	B1
Gelida	E	37	C2
Gelnhausen	D	7	B5
Gelsenkirchen	D	6	A3
Gelterkinden	CH	20	B2
Gembloux	B	5	B4
Gemeaux	F	19	B4
Gémenos	F	32	B1
Gemert	NL	6	A1
Gemmenich	B	6	B1
Gémozac	F	22	C3
Gemund	D	6	B2
Gemünden, *Hessen*	D	7	B4
Gemünden, *Rheinland-Pfalz*	D	13	B3
Genappe	B	5	B4
Gençay	F	23	B4
Gendringen	NL	6	A2
Genelard	F	18	C3
Genemuiden	NL	2	B3
Geneva = Genève	CH	26	A3
Genève = Geneva	CH	26	A3
Genevrières	F	19	B4
Gengenbach	D	13	C4
Genillé	F	17	B3
Genk	B	5	B5
Genlis	F	19	B4
Gennep	NL	6	A1
Gennes	F	16	B1
Genola	I	33	A3
Genouillac	F	24	A2
Gent = Ghent	B	5	A3
Gentioux	F	24	B1
Georgsmarien-hütte	D	3	B5
Geraards-bergen	B	5	B3
Gérardmer	F	20	A1
Gerbéviller	F	12	C2
Gergy	F	19	C3
Germay	F	12	C1
Germersheim	D	13	B4
Gernsbach	D	13	C4
Gernsheim	D	13	B4
Gerolstein	D	6	B2
Gerpinnes	B	5	B4
Gerri de la Sal	E	37	B2
Gerzat	F	24	B3
Gescher	D	3	C4
Geseke	D	7	A4
Gespunsart	F	11	B4
Gesté	F	15	B4
Gevrey-Chambertin	F	19	B3
Gex	F	26	A3
Gey	D	6	B2
Ghigo	I	27	C4
Ghisonaccia	F	38	A2
Ghisoni	F	38	A2
Giat	F	24	B2
Giaveno	I	27	B4
Gien	F	17	B4
Giens	F	32	B2
Gieselwerder	D	7	A5
Giessen	D	7	B4
Gieten	NL	2	B3
Giethoorn	NL	2	B3
Giffaumont-Champaubert	F	11	C4
Gignac	F	30	B2
Gijón	E	35	A4
Gilley	F	19	C5
Gilley-sur-Loire	F	18	C2
Gilocourt	F	10	B2
Gilserberg	D	7	B5
Gilze	NL	5	A4
Gimont	F	29	C3
Ginasservis	F	32	B1
Gingelom	B	5	B5
Giromagny	F	20	B1
Girona	E	37	C3
Gironcourt-sur-Vraine	F	12	C1
Gironella	E	37	B2
Gironville-sous-les-Côtes	F	12	C1
Gisors	F	10	B1
Gistel	B	4	A2
Giswil	CH	20	C3
Givet	F	11	A4
Givors	F	25	B4
Givry	B	5	B4
Givry	F	18	C3
Givry-en-Argonne	F	11	C4
Gizeux	F	16	B2
Gladbeck	D	6	A2
Gladenbach	D	7	B4
Gland	F	19	C5
Glandorf	D	3	B4
Glarus	CH	21	B4
Gletsch	CH	20	C3
Glomel	F	14	A2
Goch	D	6	A2
Goddelsheim	D	7	A4
Godelheim	D	7	A5
Goderville	F	9	A4
Goes	NL	5	A3
Goetzenbrück	F	13	C3
Gôglio	I	27	A5
Goirle	NL	5	A5
Goizueta	E	34	A2
Goldach	CH	21	B4
Goldbach	D	13	A5
Gomaringen	D	13	C5
Goncelin	F	26	B2
Gondrecourt-le-Château	F	12	C1
Gondrin	F	28	C3
Gonfaron	F	32	B2
Goñi	E	34	B2
Gooik	B	5	B4
Goor	NL	6	A1
Goppenstein	CH	27	A4
Gorey	GB	8	A1
Gorinchem	NL	5	A4
Gorredijk	NL	2	A3
Gorron	F	8	B3
Gossau	CH	21	B4
Götzis	A	21	B4
Gouarec	F	14	A2
Gouda	NL	5	A4
Gourdon	F	29	B4
Gourgançon	F	11	C4
Gourin	F	14	A2
Gournay-en-Bray	F	10	B1
Gouvy	B	6	B1
Gouzeaucourt	F	10	A3
Gouzon	F	24	A2
Gozee	B	5	B4
Grabs	CH	21	B4
Gracay	F	17	B3
Gramat	F	29	B4
Grancey-le-Château	F	19	B4
Grand-Champ	F	14	B3
Grand Couronne	F	9	A5
Grand-Fougeray	F	15	B4
Grandcamp-Maisy	F	8	A2
Grandpré	F	11	B4
Grandrieu	F	25	C3
Grandrieu	F	5	B4
Grandson	CH	20	C1
Grandvillers	F	10	B1
Grandvilliers	F	11	C4
Grañén	E	35	C3
Granges-de-Crouhens	F	35	B4
Granges-sur-Vologne	F	20	A1
Granollers	E	37	C3
Granville	F	8	B2
Grasse	F	32	B2
Graulhet	F	29	C4
Graus	E	35	B4
Grávalos	E	34	B2
Gravedona	I	27	A5
Gravelines	F	4	A2
Gravellona Toce	I	27	B5
's-Gravendeel	NL	5	A4
's-Gravenhage = The Hague	NL	2	B1
's-Gravenzande	NL	5	A4
Gray	F	19	B4
Grebenstein	D	7	A5
Grefrath	D	6	A2
Grenade	F	29	C4
Grenade-sur-l'Adour	F	28	C2
Grenchen	CH	20	B2
Grenoble	F	26	B2
Gréoux-les-Bains	F	32	B1
Gressoney-la-Trinité	I	27	B4
Gressoney-St.-Jean	I	27	B4
Greven, *Nordrhein-Westfalen*	D	3	B4
Grevenbroich	D	6	A2
Grevenbrück	D	7	A4
Grevenmacher	L	12	B2
Grez-Doiceau	B	5	B4
Grez-en-Bouère	F	16	B1
Grèzec	F	29	B4
Griesheim	D	13	B4
Grignan	F	31	A3
Grignols	F	28	B2
Grignon	F	26	B3
Grijpskerk	NL	3	A3
Grimaud	F	32	B2
Grimbergen	B	5	B4
Grimmialp	CH	20	C2
Grindelwald	CH	20	C3
Grisolles	F	29	C4
Groenlo	NL	6	A1
Groesbeek	NL	6	A1
Gronau, *Nordrhein-Westfalen*	D	3	B4
Grönenbach	D	21	B5
Groningen	NL	3	A3
Grootegast	NL	3	A3
Gross-Gerau	D	13	B4
Gross Reken	D	6	A3
Gross Umstadt	D	13	B4
Grossenkneten	D	3	B5
Grossenlüder	D	7	B5
Grossröschetten	D	20	C2
Grossostheim	D	13	B5
Grostenquin	F	12	C2
Grouw	NL	2	A2
Gruissan	F	30	B2
Grünberg	D	7	B4
Gründau	D	7	B5
Grünstadt	D	13	B4
Gruyères	CH	20	C2
Gstaad	CH	20	C2
Gsteig	CH	27	A4
Guagno	F	38	A1
Guardiola de Berguedà	E	37	B2
Guebwiller	F	20	B2
Guéméné-Penfao	F	15	B4
Guéméné-sur-Scorff	F	14	A2
Guer	F	15	B3
Guérande	F	15	B3
Guéret	F	24	A1
Guérigny	F	18	B2
Guesa	E	34	B2
Gueugnon	F	18	C3
Guichen	F	15	B4
Guignes	F	10	C2
Guillaumes	F	32	A2
Guillestre	F	26	C3
Guillos	F	28	B2
Guilvinec	F	14	B1
Guipavas	F	14	A1
Guiscard	F	10	B3
Guiscriff	F	14	A2
Guise	F	11	B3
Guissona	E	37	C2
Guitres	F	28	A2
Gujan-Mestras	F	28	B1
Gummersbach	D	7	A3
Gundel-fingen	D	13	C3
Gundelsheim	D	13	B5
Gundelschotfen	F	13	C3
Gunten	CH	20	C2
Guntersblum	D	13	B4
Gurrea de Gállego	E	34	B3
Gütersloh	D	7	A4
Guttannen	CH	20	C3
Güttingen	CH	21	B4
Gvé-sur-Seine	F	18	B3
Gypsera	CH	20	C2

H

Place	C	Pg	Grid
Haacht	B	5	B4
Haaksbergen	NL	3	B3
Haamstede	NL	5	A3
Haan	D	7	B3
Haarlem	NL	2	B1
Habas	F	28	C2
Habay	B	12	B1
Habsheim	F	20	B2
Hachenburg	D	7	B3
Hadamar	D	7	B4
Hage	D	3	A4
Hagen, *Nordrhein-Westfalen*	D	7	A3
Hagenbach	D	13	B4
Hagetmau	F	28	C2
Hagondange	F	12	B2
Haguenau	F	13	C3
Hahnbach	D	5	B4
Hahnstätten	D	7	B4
Haiger	D	7	B4
Haigerloch	D	13	C4
Haldem	D	3	B5
Halle	B	5	B4
Hallenberg	D	7	A4
Halluin	F	4	A3
Haltern	D	6	A3
Ham	F	10	B3
Hambach	F	13	C3
Hamburg	D	7	A4
Hamminkeln	D	6	A2
Hamoir	B	5	B5
Hamont	B	6	A1
Hanau	D	7	B4
Hannut	B	5	B5
Hardegarijp	NL	2	A2
Hardelot Plage	F	4	B1
Hardenberg	NL	3	B3
Hardt	D	20	A3
Haren	D	3	B4
Haren	NL	3	A3
Harfleur	F	9	A4
Hargicourt	F	10	B3
Hargnies	F	11	A4
Harkebrügge	D	3	A4
Harlingen	NL	2	A2
Haroué	F	12	C2
Harsewinkel	D	3	C5
Hartennes	F	10	B3
Haselünne	D	3	B4
Haslach	D	20	A3
Hasparren	F	34	A2
Hasselt	B	5	B5
Hasselt	NL	2	B3
Hassloch	D	13	B4
Hastière-Lavaux	B	5	B4
Hattem	NL	2	B3
Hatten	D	3	A5
Hattingen	D	7	A3
Hattstadt	F	20	A2
Hau	D	6	A2
Haudainville	F	12	B1
Haulerwijk	NL	3	A3
Hausach	D	20	A3
Haut-Fays	B	5	B5
Hautefort	F	29	A4
Hauterives	F	25	B5
Hauteville-Lompnès	F	26	B2
Hautmont	F	5	B4
Hautrage	B	5	B3
Havelange	B	5	B5
Havelte	NL	2	B3
Havixbeck	D	3	C4
Hayange	F	12	B2
Hazebrouck	F	4	A3
Héas	F	35	B4
Hechingen	D	13	C5
Hecho	E	34	B3
Hechtel	B	5	A5
Hédé	F	15	A4
Heede	D	3	B4
Heek	D	3	B4
Heemstede	NL	2	B1
Heerde	NL	2	B3
Heerenveen	NL	2	B2
Heerhugowaard	NL	2	B1
Heerlen	NL	6	B1
Heeze	NL	6	A1
Heide	D	3	A4
Heidelberg	D	13	B4
Heiden	D	6	A2
Heilbronn	D	13	B5
Heiligenhaus	D	6	A2
Heiloo	NL	2	B1
Heinerscheid	L	12	A2
Heinsberg	D	6	A2
Heist-op-den-Berg	B	5	A4
Helchteren	B	5	A5
Hellendoorn	NL	3	B3
Hellenthal	D	6	B2
Hellevoetsluis	NL	5	A4
Helmond	NL	6	A1
Hemer	D	7	A3
Héming	F	12	C2
Hendaye	F	34	A2
Hengelo, *Gelderland*	NL	6	A1
Hengelo, *Overijssel*	NL	3	B3
Hénin-Beaumont	F	4	B3
Hennebont	F	14	B2
Henrichemont	F	17	B4
Heppenheim	D	13	B4
Herbault	F	17	B3
Herbern	D	7	A3
Herbignac	F	15	B3
Herbisse	F	11	C4
Herbitzheim	F	12	B3
Herbolzheim	D	20	A2
Herborn	D	7	B4
Herbrechtingen	D	21	A5
Herbstein	D	7	B5
Herdorf	D	7	B3
Herentals	B	5	A4
Herenthout	B	5	A4
Herk-de-Stad	B	5	B5
Herment	F	24	B2
Hermeskeil	D	12	B2
Hermonville	F	11	B3
Hernani	E	34	A2
Herne	D	6	A3
Herrenberg	D	13	C5
Herrlisheim	F	13	C3
Herschied	D	7	A3
Herselt	B	5	A4
Herstal	B	5	B5
's-Hertogenbosch	NL	5	A5
Herxheim	D	13	B4
Herzlake	D	3	B4
Herzogenbuchsee	CH	20	B2
Hesdin	F	4	B2
Hesel	D	3	A4
Hettange-Grande	F	12	B2
Heuchin	F	4	B2
Heudicourt-sous-les-Côtes	F	12	C1
Heunezel	F	19	A5
Heuqueville	F	9	A4
Heusden	NL	5	A5
Hilleshein	D	6	B2
Hilvarenbeek	NL	5	A5
Hilversum	NL	2	B2
Hindelbank	CH	20	B2
Hinterweidenthal	D	13	B3
Hinwil	CH	21	B3
Hippolytushoef	NL	2	B1
Hirschhorn	D	13	B4
Hirsingue	F	20	B2
Hirson	F	11	B4
Hirzenhain	D	7	B5
Hittisau	A	21	B4
Hobscheid	L	12	B1
Hochdorf	CH	20	B3
Hochfelden	F	13	C3
Hochspeyer	D	13	B3
Höchst im Odenwald	D	13	B5
Hochstenbach	D	7	B3
Hockenheim	D	13	B4
Hoedekenskerke	NL	5	A3
Hoegaarden	B	5	B4
Hoek van Holland	NL	5	A4
Hoenderlo	NL	2	B2
Hofgeismar	D	7	A5
Hofheim, *Hessen*	D	13	A4
Hohenems	A	21	B4
Hohenkirchen	D	3	A4
Hohentengen	D	20	B3
Hohenwepel	D	7	A5
Holdorf	D	3	B5
Hollum	NL	2	A2
Holten	NL	3	B3
Holtwick	D	3	B4
Holwerd	NL	2	A2
Holzminden	D	7	A5
Homberg, *Hessen*	D	7	A5
Homberg, *Hessen*	D	7	B5
Homburg	D	13	B3
Hondarribia	E	34	A2
Hondschoote	F	4	A3
Honfleur	F	9	A4
Hönningen	D	6	B2
Honrheim	D	12	A2
Hoofddorp	NL	2	B1
Hoogerheide	NL	5	A4
Hoogeveen	NL	3	B3
Hoogezand-Sappemeer	NL	3	A3
Hoogkarspel	NL	2	B2
Hoogkerk	NL	3	A3
Hoogstede	D	3	B3
Hoogstraten	NL	5	A4
Hooksiel	D	3	A5
Hoorn	NL	2	B2
Hopsten	D	3	B4
Horb am Neckar	D	13	C4
Horgen	CH	21	B3
Horn	NL	7	A4
Hornberg	D	20	A3
Hornoy-le-Bourg	F	10	B1
Horstel	D	3	B4
Horsten	D	3	A4
Horstmar	D	3	B4
Hösbach	D	13	A5
Hosenfeld	D	7	B5
Hosingen	L	12	A2
Hospental	CH	21	C3
Hossegor	F	28	C1
Hostal de Ipiés	E	35	C1
Hostalric	E	37	C3
Hostens	F	28	B2
Hotton	B	5	B5
Houdain	F	4	B2
Houdan	F	10	C1
Houdelaincourt	F	12	C1
Houeillès	F	28	B3
Houffalize	B	12	A1
Houlgate	F	9	A3
Hourtin	F	28	A1
Hourtin-Plage	F	28	A1
Houthalen	B	5	A5
Houyet	B	5	B4
Hovelhof	D	7	A4
Höxter	D	7	A5
Hückel-hoven	D	6	A2
Hückeswagen	D	7	A3
Huelgoat	F	14	A2
Huesca	E	35	B3
Hüfingen	D	20	B3
Huissen	NL	2	B2
Huizen	NL	2	B2
Hüls	D	6	A2
Hulst	NL	5	A3
Hungen	D	7	B4
Húnxe	D	6	A2
Hürbel	D	21	A4
Hürth	D	6	B2
Hüsten	D	7	A3
Huttwil	CH	20	B2
Huy	B	5	B5
Hyères	F	32	B2
Hyères Plage	F	32	B2

I

Place	C	Pg	Grid
Ibbenbüren	D	3	B4
Ichtegem	B	4	A2
Idar-Oberstein	D	13	B3
Idiazábal	E	34	B1
Idstein	D	7	B4
Ieper = Ypres	B	4	A2
Igea	E	34	B1
Igny-Comblizy	F	11	C3
Igualada	E	37	C2
Iguerande	F	25	A4
Ihringen	D	20	A2

IJmuiden NL 2 B1
IJsselmuiden NL 2 B2
IJzendijke NL 5 A3
Ilanz CH 21 C4
Ilche E 35 C4
Illats F 28 B2
Ille-sur-Têt F 36 B3
Illfurth F 20 B2
Illiers-Combray F 9 B5
Illkirch-Graffenstaden F 13 C3
Immenhausen D 7 A5
Immenstadt D 21 B5
Impéria I 33 B4
Imphy F 18 C2
Inerthal CH 21 B3
Ingelheim D 13 B4
Ingelmunster B 4 B3
Ingrandes, *Maine-et-Loire* F 15 B5
Ingrandes, *Vienne* F 16 C2
Ingwiller F 13 C3
Innertkirchen CH 20 C3
Ins CH 20 B2
Interlaken CH 20 C2
Irrel D 12 B2
Irún E 34 A2
Irurita E 34 A2
Irurzun E 34 B2
Is-sur-Tille F 19 B4
Isaba E 34 B3
Ischgl A 21 B5
Isdes F 17 B4
Iselle I 27 A5
Iseltwald CH 20 C2
Iserlohn D 7 A3
Isigny-sur-Mer F 8 A2
Isny D 21 B5
Isola F 32 A3
Isona E 37 B2
Ispagnac F 30 A2
Isselburg D 6 A2
Issigeac F 29 B3
Issogne I 27 B4
Issoire F 24 B3
Issoncourt F 11 C5
Issoudun F 17 C4
Issum D 6 A2
Issy-l'Evêque F 18 C2
Istres F 31 B3
Itoiz E 34 B2
Ivoz Ramet B 5 B5
Ivrea I 27 B4
Ivry-en-Montagne F 18 B3
Ivry-la-Bataille F 10 C1
Iwuy F 4 B3
Izegem B 4 B3
Izernore F 26 A2

J

Jaca E 35 B3
Jade D 3 A5
Jalhay B 6 B1
Jaligny-sur-Besbre F 25 A3
Jallais F 16 B1
Jâlons F 11 C4
Jamoigne B 12 B1
Janville F 17 A3
Janzé F 15 B4
Jard-sur-Mer F 22 B2
Jargeau F 17 B4
Jarnac F 23 C3
Jarny F 12 B1
Jarzé F 16 B1
Jasseron F 26 A2
Jaun CH 20 C2
Jausiers F 32 A2
Javerlhac F 23 C4
Javier E 34 B2
Javron F 9 B3
Jegun F 29 C3
Jemgum D 3 A4
Jenaz CH 21 C4
Jesberg D 7 B5
Jeumont F 5 B4
Jever D 3 A4
Jodoigne B 5 B4
Jœuf F 12 B1
Joigny F 18 B2
Joinville F 11 C5
Jonchery-sur-Vesle F 11 B3
Jonzac F 22 C3
Jorba E 37 C2
Josselin F 15 B3
Jouarre F 10 C3
Joué-lès-Tours F 16 B2
Joué-sur-Erdre F 15 B4
Joure NL 2 B2
Joux-la-Ville F 18 B2
Jouy F 10 C1
Jouy-le-Châtel F 10 C3
Jouy-le-Potier F 17 B3
Joyeuse F 31 A3
Joze F 24 B3
Juan-les-Pins F 32 B3
Jubera E 34 B1
Jugon-les-Lacs F 15 A3
Juillac F 29 A4
Juillan F 35 A4
Juist D 3 A4
Julianadorp NL 2 B1
Jülich D 6 B2
Jullouville F 8 B2
Jumeaux F 25 B3
Jumièges F 9 A4
Jumilhac-le-Grand F 23 C5
Juneda E 37 C1
Jungingen D 13 C5
Junglingster L 12 B2
Juniville F 11 B4
Juprelle B 6 B1
Jussac F 24 C2
Jussey F 19 B4
Jussy F 10 B3
Juvigny-le-Terte F 8 B2
Juvigny-sous-Andaine F 9 B3
Juzennecourt F 19 A3

K

Kaatscheuvel NL 5 A5
Kahl D 13 A5
Kaisersesch D 6 B3
Kaiserslautern D 13 B3
Kalkar D 6 A2
Kall D 6 B2
Kalmthout B 5 A4
Kaltbrunn CH 21 B4
Kamen D 7 A3
Kamp-Lintfort D 6 A2
Kampen NL 2 B2
Kandel D 13 B4
Kandern D 20 B2
Kandersteg CH 20 C2
Kapellen B 5 A4
Kappel D 13 C3
Kappl A 21 B5
Karlsruhe D 13 B4
Kassel D 7 A5
Kastellaun D 13 A3
Kasterlee B 5 A4
Katwijk NL 2 B1
Katzenelnbogen D 7 B3
Kaub D 13 A3
Kaysersberg F 20 A2
Keerbergen B 5 A4
Kehl D 13 C3
Kelberg D 6 B2
Kell D 12 B2
Kelmis B 6 B2
Kelsterbach D 13 A4
Kempen D 6 A2
Kempten D 21 B5
Kemptthal CH 21 B3
Kenzingen D 20 A2
Kérien F 14 A2
Kerken D 6 A2
Kerkrade NL 6 B2
Kerlouan F 14 A1
Kernascléden F 14 A2
Kerns CH 20 C3
Kerpen D 6 B2
Kerzers CH 20 C2
Kevelaer D 6 A2
Kierspe D 7 A3
Kimratshofen D 21 B5
Kinrooi B 6 A1
Kirberg D 7 B4
Kirchberg CH 20 B2
Kirchberg, *Rheinland-Pfalz* D 13 B3
Kirchhain D 7 B4
Kirchheim, *Hessen* D 7 B5
Kirchheim-bolanden D 13 B4
Kirchhundem D 7 A4
Kirchzarten D 20 B2
Kirn D 13 B3
Kirtorf D 7 B5
Kisslegg D 21 B4
Klazienaveen NL 3 B3
Kleve D 6 A2
Klingenberg D 13 B5
Klingenmunster D 13 B4
Kloosterzande NL 5 A4
Klösterle A 21 B5
Klosters CH 21 C4
Kloten CH 21 B3
Kluisbergen B 5 B3
Klundert NL 5 A4
Knesselare B 4 A3
Knokke-Heist B 4 A3
Koblenz CH 20 B3
Koblenz D 7 B3
Koekelare B 4 A2
Koksijde B 4 A2
Kollum NL 2 A3
Köln = Cologne D 6 B2
Königstein, *Hessen* D 7 B4
Königswinter D 6 B3
Köniz CH 20 C2
Konstanz D 21 B4
Kontich B 5 A4
Konz D 12 B2
Kopstal L 12 B2
Korbach D 7 A4
Körbecke D 7 A4
Kortrijk B 4 B3
Koudum NL 2 B2
Kranenburg D 6 A2
Krefeld D 6 A2
Kressbronn D 21 B4
Kreuzau D 6 B2
Kreuzlingen CH 21 B4
Kreuztal D 7 B3
Kriegsfeld D 13 B3
Kriens CH 20 B3
Krimpen aan de IJssel NL 5 A4
Krommenie NL 2 B1
Kruft D 6 B3
Kruishoutem B 5 B3
Küblis CH 21 C4
Kuinre NL 2 B2
Kuppenheim D 13 C4
Kürten D 6 A3
Kusel D 13 B3
Küsnacht CH 20 B3
Küttingen CH 20 B3
Kyllburg D 12 A2

L

La Balme-de-Sillingy F 26 B3
La Barre-de-Monts F 22 B1
La Barre-en-Ouche F 9 B4
La Barthe-de-Neste F 35 A4
La Bassée F 4 B2
La Bastide-de-Sèrou F 36 A2
La Bastide-des-Jourdans F 32 B1
La Bastide-Puylaurent F 25 C3
La Bathie F 26 B3
La Baule-Escoublac F 15 B3
La Bazoche-Gouet F 16 A2
La Bégude-de-Mazenc F 31 A3
La Bernerie-en-Retz F 22 A1
La Bisbal d'Empordà E 37 C4
La Boissière F 9 A4
La Bourboule F 24 B2
La Brède F 28 B2
La Bresse F 20 A1
La Bridoire F 26 B2
La Brillanne F 32 B1
La Bruffière F 22 A2
La Bussière F 17 B4
La Caillère F 22 B3
La Calmette F 31 B3
La Canourgue F 30 A2
La Capelle F 11 B3
La Cavalerie F 30 A2
La Celle-en-Moravan F 18 B3
La Celle-St. Avant F 16 B2
La Chaise-Dieu F 25 B3
La Chaize-Giraud F 22 B2
La Chaize-le-Vicomte F 22 B2
La Chambre F 26 B3
La Chapelaude F 24 A2
La Chapelle-d'Angillon F 17 B4
La Chapelle-en-Aalgaudémar F 26 C3
La Chapelle-en-Vercors F 26 C2
La Chapelle-Glain F 15 B4
La Chapelle-la-Reine F 10 C2
La Chapelle-Laurent F 24 B3
La Chapelle-St. Luc F 11 C4
La Chapelle-sur-Erdre F 15 B4
La Chapelle-Vicomtesse F 17 B3
La Charce F 32 A1
La Charité-sur-Loire F 18 B2
La Chartre-sur-le-Loir F 16 B2
La Châtaigneraie F 22 B3
La Châtre F 17 C3
La Chaussée-sur-Marne F 11 C4
La Chaux-de-Fonds CH 20 B1
La Cheppe F 11 B4
La Chèze F 15 A3
La Ciotat F 32 B1
La Clayette F 25 A4
La Clusaz F 26 B3
La Condamine-Châtelard F 32 A2
La Coquille F 23 C4
La Côte-St. André F 26 B2
La Cotinière F 22 C2
La Courtine F 24 B2
La Crau F 32 B2
La Crèche F 23 B3
La Croix F 16 B2
La Croix-Valmer F 32 B2
La Douze F 29 A3
La Farga de Moles E 36 B2
La Fère F 10 B3
La Ferrière, *Indre-et-Loire* F 16 B2
La Ferrière, *Vendée* F 22 B2
La Ferrière-en-Parthenay F 23 B3
La-Ferté-Alais F 10 C2
La Ferté-Bernard F 16 A2
La Ferté-Frênel F 9 B4
La Ferté-Gaucher F 10 C3
La Ferté-Imbault F 17 B3
La Ferté-Macé F 9 B3
La Ferté-Milon F 10 B3
La Ferté-St. Aubin F 17 B3
La Ferté-St.Cyr F 17 B3
La Ferté-sous-Jouarre F 10 C3
La Ferté-Vidame F 9 B4
La Ferté Villeneuil F 17 B3
La Feuillie F 10 B1
La Flèche F 16 B1
La Flotte F 22 B2
La Fouillade F 30 A1
La Fulioala E 37 C2
La Gacilly F 15 B3
La Garde-Freinet F 32 B2
La Garnache F 22 B2
La Garriga E 37 C3
La Gaubretière F 22 B2
La Grand-Combe F 31 A3
La Grande-Croix F 25 B4
La Grande-Motte F 31 B3
La Grave F 26 B3
La Gravelle F 15 A4
La Guerche-de-Bretagne F 15 B4
La Guerche-sur-l'Aubois F 18 C1
La Guérinière F 22 B1
La Haye-du-Puits F 8 A2
La Haye-Pesnel F 8 B2
La Herlière F 4 B2
La Hulpe B 5 B4
La Hutte F 9 B4
La Javie F 32 A2
La Jonchère-St. Maurice F 24 A1
La Jonquera E 36 B3
La Llacuna E 37 C2
La Londe-les-Maures F 32 B2
La Loupe F 9 B5
La Louvière B 5 B4
La Machine F 18 C2
La Mailleraye-sur-Seine F 9 A4
La Malène F 30 A2
La Manresana dels Prats E 37 C2
La Masadera E 35 C3
La Meilleraye-de-Bretagne F 15 B4
La Ménitré F 16 B1
La Mole F 32 B2
La Molina E 37 B2
La Monnerie-le-Montel F 25 B3
La Mothe-Achard F 22 B2
La Mothe-St. Héray F 23 B3
La Motte-Chalançon F 31 A4
La Motte-du-Caire F 32 A2
La Motte-Servolex F 26 B2
La Mure F 26 C2
La Neuve-Lyre F 9 B4
La Neuveville CH 20 B2
La Nocle-Maulaix F 18 C2
La Pacaudière F 25 A3
La Palme F 36 B4
La Palmyre F 22 C2
La Petit-Pierre F 13 C3
La Plagne F 26 B3
La Pobla de Lillet E 37 B2
la Porta F 38 A2
La Pouëze F 16 B1
La Preste F 36 B3
La Primaube F 30 A1
La Puebla de Roda E 35 B4
La Punt CH 21 C4
La Réole F 28 B2
La Riera de Gaià E 37 C2
La Rivière-Thibouville F 9 A4
La Roche CH 20 C2
La Roche-Bernard F 15 B3
La Roche-Canillac F 24 B1
La Roche-Chalais F 28 A3
La Roche Derrien F 14 A2
La Roche-des-Arnauds F 32 A1
La Roche-en-Ardenne B 6 B1
La Roche-en-Brénil F 18 B3
La Roche-Guyon F 10 B1
La Roche-Posay F 23 B4
La Roche-sur-Foron F 26 A3
La Roche-sur-Yon F 22 B2
La Rochebeaucourt-et-Argentine F 23 C4
La Rochefoucauld F 23 C4
La Rochelle F 22 B2
La Rochette F 31 A4
La Roque-Gageac F 29 B4
La Roque-Ste. Marguerite F 30 A2
La Roquebrussanne F 32 B1
La Salle F 26 C3
La Salvetat-Peyralés F 30 A1
La Salvetat-sur-Agout F 30 B1
La Sarraz CH 19 C5
La Selva del Camp E 37 C2
La Serra E 37 C2
La Seu d'Urgell E 36 B2
La Seyne-sur-Mer F 32 B1
La Souterraine F 24 A1
La Suze-sur-Sarthe F 16 B2
La Teste F 28 B1
La Thuile I 27 B3
La Torre de Cabdella E 36 B1
La Tour d'Aigues F 32 B1
La Tour de Peilz CH 20 C1
La Tour-du-Pin F 26 B2
La Tranche-sur-Mer F 22 B2
La Tremblade F 22 C2
La Trimouille F 23 B5
La Trinité F 14 B2
La Trinité-Porhoët F 15 A3
La Turballe F 15 B3
La Vilella Baixa E 37 C1
La Ville Dieu-du-Temple F 29 B4
La Villedieu F 23 B3
La Voulte-sur-Rhône F 25 C4
La Wantzenau F 13 C3
Labastide-Murat F 29 B4
Labastide-Rouairoux F 30 B1
Labastide-St. Pierre F 29 C4
Labenne F 28 C1
Lablachère F 31 A3
Labouheyre F 28 B2
Labrit F 28 B2
Labruguière F 30 B1
L'Absie F 22 B3
Lacanau F 28 B1
Lacanau-Océan F 28 A1
Lacanche F 18 B3
Lacapelle-Marival F 29 B4
Lacaune F 30 B1
Lachen CH 21 B3
Lacq F 35 A3
Lacroix-Barrez F 24 C2
Lacroix-St. Ouen F 10 B2
Lacroix-sur-Meuse F 12 C1
Ladbergen D 3 B4
Ladignac-le-Long F 23 C5
Ladon F 17 B4
Laer D 3 B4
Lafrançaise F 29 B4
Lagarde F 36 A2
Lagnieu F 26 B2
Lagny-sur-Marne F 10 C2
Lagrasse F 36 A3
Laguarres E 35 B4
Laguenne F 24 B1
Laguépie F 29 B4
Laguiole F 24 C2
Laharie F 28 B1
Lahden D 3 B4
Laheycourt F 11 C5
Lahnstein D 7 B3
Lahr D 13 C3
L'Aigle F 9 B4
Laignes F 18 B3
Laiguéglia I 33 B4
L'Aiguillon-sur-Mer F 22 B2
Laissac F 30 A1
Lalbenque F 29 B4
Lalinde F 29 B3
Lalizolle F 24 A3
Lalley F 26 C2
L'Alpe-d'Huez F 26 B3
Laluque F 28 C1
Lamagistére F 29 B3
Lamarche F 19 A4
Lamarche-sur-Saône F 19 B4
Lamargelle F 19 B3
Lamarque F 28 A2
Lamastre F 25 C4
Lamballe F 15 A3
Lambesc F 31 B4
Lamothe-Cassel F 29 B4
Lamothe-Montravel F 28 B3
Lamotte-Beuvron F 17 B4
Lampertheim D 13 B4
Lamure-sur-Azergues F 25 A4
Lanaja E 35 C3
Lanarce F 25 C3
Lançon-Provence F 31 B4
Landau, *Rheinland-Pfalz* D 13 B4
Landen B 5 B5
Landerneau F 14 A1
Landévant F 14 B2
Landévennec F 14 A1
Landivisiau F 14 A1
Landivy F 8 B2
Landos F 25 C3
Landouzy-le-Ville F 11 B4
Landquart CH 21 C4
Landrecies F 11 A3
Landreville F 18 A3
Landscheid D 12 B2
Landstuhl D 13 B3
Lanester F 14 B2
Langeac F 25 B3
Langeais F 16 B2
Langedijk NL 2 B1
Langemark-Poelkapelle B 4 B2
Langen, *Hessen* D 13 B4
Langenberg D 7 A4
Langenbruck CH 20 B2
Langenfeld D 6 A2
Langenlonsheim D 13 B3
Langenthal CH 20 B2
Langeoog D 3 A4
Langförden D 3 B5
Langnau CH 20 C2
Langogne F 25 C3
Langon F 28 B2
Langres F 19 B4
Langueux F 15 A3
Languidic F 14 B2
Langwarden D 3 A5
Langwies CH 21 C4
Lanildut F 14 A1
Lanmeur F 14 A2
Lannéanou F 14 A2
Lannemezan F 35 A4
Lanneuville-sur-Meuse F 11 B5
Lannilis F 14 A1
Lannion F 14 A2
Lanouaille F 23 C5
Lanslebourg-Mont-Cenis F 27 B3
Lanta F 29 C4
Lanton F 28 B1
Lantosque F 33 B3
Lanvollon F 14 A3
Lanzo Torinese I 27 B4
Laon F 11 B3
Laons F 9 B5
Lapalisse F 25 A3
Lapeyrade F 28 B2
Lapeyrouse F 24 A2
Laplume F 29 B3
Lapoutroie F 20 A2
Laragne-Montéglin F 32 A1
l'Arboç E 37 C2
L'Arbresle F 25 B4
Larceveau F 34 A2
Larche, *Alpes-de-Haute-Provence* F 32 A2
Larche, *Corrèze* F 29 A4
Largentière F 31 A3
L'Argentière-la-Bessée F 26 C3
Larmor-Plage F 14 B2
Larochette L 12 B2
Laroque d'Olmes F 36 B2
Laroque-Timbaut F 29 B3
Laroquebrou F 24 C2
Larraga E 34 B2
Larrau F 34 A3
Larrazet F 29 C4
Laruns F 35 A3
Las Planes d'Hostoles E 37 B3
Lasalle F 31 A2
Lasarte E 34 A1
Laspaules E 35 B4
Laspuña E 35 B4
Lassay-les-Châteaux F 9 B3
Lasseube F 35 A3
Lassigny F 10 B2
Lastrup D 3 B4
Latasa E 34 B2
Lathen D 3 B4
Latronquière F 24 C2
Latterbach CH 20 C2
Laubach D 7 B4
Laubert F 25 C3
Laufen CH 20 B2
Lauffen D 13 B5
Launois-sur-Vence F 11 B4
Laurière F 24 A1
Lausanne CH 20 C1
Laussonne F 25 C4
Lauterach A 21 B4
Lauterbach D 7 B5
Lauterbrunnen CH 20 C2
Lauterecken D 13 B3
Lautrec F 30 B1
Lauzerte F 29 B4
Lauzès F 29 B4
Lauzun F 29 B3
Laval F 16 A1
Lavardac F 29 B3
Lavau F 18 B1
Lavaur F 29 C4
Lavelanet F 36 B2
Lavilledieu F 31 A3
Lavit F 29 C3
Lavoncourt F 19 B4
Lavoûter-Chilhac F 25 B3
Lazkao E 34 A1
Le Bar-sur-Loup F 32 B2
Le Barp F 28 B2
Le Béage F 25 C4
Le Beausset F 32 B1
Le Bessat F 25 B4
Le Blanc F 23 B5
Le Bleymard F 30 A2
Le Boullay-Mivoye F 9 B5
Le Boulou F 36 B3
Le Bourg F 29 B4
Le Bourg-d'Oisans F 26 B3
Le Bourget-du-Lac F 26 B2
Le Bourgneuf-la-Forêt F 15 A5
Le Bousquet d'Orb F 30 B2
Le Brassus CH 19 C5
Le Breuil F 25 A3
Le Breuil-en-Auge F 9 A4
Le Brusquet F 32 A2
Le Bry CH 20 C2
Le Bugue F 29 B3
Le Buisson F 29 B3
Le Caloy F 28 C2
Le Cap d'Agde F 30 B2
Le Cateau Cambrésis F 11 A3
Le Caylar F 30 B2

Name		Page	Grid
Le Cayrol	F	24	C2
Le Chambon-Feugerolles	F	25	B4
Le Chambon-sur-Lignon	F	25	B4
Le Château d'Oléron	F	22	C2
Le Châtelard	F	26	B3
Le Châtelet	F	17	C4
Le Chatelet-en-Brie	F	10	C2
Le Chesne	F	11	B4
Le Cheylard	F	25	C4
Le Collet-de-Deze	F	31	A2
Le Conquet	F	14	A1
Le Creusot	F	18	C3
Le Croisic	F	15	B3
Le Crotoy	F	4	B1
Le Deschaux	F	19	C4
Le Donjon	F	23	B5
Le Dorat	F	23	B5
Le Faou	F	14	A1
Le Faoüet	F	14	A2
Le Folgoet	F	14	A1
Le Fossat	F	36	A2
Le Fousseret	F	36	A2
Le Fugeret	F	32	A2
Le Gault-Soigny	F	11	C4
Le Grand-Bornand	F	26	B3
Le Grand-Bourg	F	24	A1
Le Grand-Lucé	F	16	B2
Le Grand-Pressigny	F	16	C2
Le Grand-Quevilly	F	9	A5
Le Grau-du-Roi	F	31	B3
Le Havre	F	9	A4
Le Hohwald	F	13	C3
Le Houga	F	28	C2
Le Lardin-St.-Lazare	F	29	A4
Le Lauzet-Ubaye	F	32	A2
Le Lavandou	F	32	B2
Le Lion-d'Angers	F	16	B1
Le Locle	CH	20	B1
Le Louroux-Bottereau	F	15	B4
Le Louroux-Béconnais	F	15	B5
Le Luc	F	32	B2
Le Lude	F	16	B2
Le Malzieu-Ville	F	24	C3
Le Mans	F	16	A2
Le Mas-d'Azil	F	36	A2
Le Massegros	F	30	A2
Le May-sur-Èvre	F	15	B5
Le Mayet-de-Montagne	F	25	A3
Le Mêle-sur-Sarthe	F	9	B4
Le Ménil	F	19	A5
Le Merlerault	F	9	B4
Le Mesnil-sur-Oger	F	11	C4
Le Miroir	F	19	C4
Le Molay-Littry	F	8	A3
Le Monastier-sur-Gazeille	F	25	C3
Le Monêtier-les-Bains	F	26	C3
Le Mont-Dore	F	24	B2
Le Mont-St.-Michel	F	8	B2
Le Montet	F	24	A3
Le Muret	F	28	B2
Le Muy	F	32	B2
Le Neubourg	F	9	A4
Le Nouvion-en-Thiérache	F	11	A3
Le Palais	F	14	B2
Le Parcq	F	4	B2
Le Péage-de-Roussillon	F	25	B4
Le Pellerin	F	15	B4
Le Perthus	F	36	B3
Le Pertuis	F	25	B3
Le Petit-Bornand	F	26	B3
Le Poët	F	32	A1
Le Poiré-sur-Vie	F	22	B2
Le Pont	F	19	C5
Le Pont-de-Montvert	F	30	A2
Le Porge	F	28	B1
Le Porge-Océan	F	28	B1
Le Portel	F	4	B1
Le Pouldu	F	14	B2
Le Pouliguen	F	15	B3
Le Puy-en-Velay	F	25	B3
Le Puy-Ste.-Réparade	F	31	B4
Le Quesnoy	F	5	B3
Le Rœulx	B	5	B4
Le Rayol	F	32	B2
Le Rouget	F	24	C2
Le Rozier	F	30	A2
Le Russey	F	20	B1
Le Sel-de-Bretagne	F	15	B4
Le Sentier	CH	19	C5
Le Souquet	F	28	B1
Le Teil	F	31	A3
Le Teilleul	F	8	B3
Le Temple-de-Bretagne	F	15	B4
Le Theil	F	9	B4
Le Thillot	F	20	B1
Le Touquet-Paris-Plage	F	4	B1
Le Touvet	F	26	B2
Le Translay	F	4	B1
Le Tréport	F	10	A1
Le Val	F	32	B2
Le Val-André	F	15	A3
Le Val-d'Ajol	F	19	B5
Le Verdon-sur-Mer	F	22	C2
Le Vernet	F	32	A2
Le Vigan	F	30	B2
Le Vivier-sur-Mer	F	8	B2
Lebach	D	12	B2
Lebekke	B	5	A4
Lech	A	21	B5
Leciñena	E	35	C3
Lectoure	F	29	C3
Lede	B	5	B3
Lédignan	F	31	B3
Leek	NL	3	A3
Leens	NL	3	A3
Leer	D	3	A4
Leerdam	NL	5	A5
Leerhafe	D	3	A4
Leeuwarden	NL	2	A2
Legau	D	21	B5
Legé	F	22	B2
Lège-Cap-Ferret	F	28	B1
Léglise	B	12	B1
Léguevin	F	29	C4
Lehnin	D	7	A4
Leibnitz	A	21	B5
Leidschendam	NL	2	B1
Leignon	B	5	B5
Leimen	D	13	B4
Leitza	E	34	A2
Lekunberri	E	34	A2
Lelystad	NL	2	B2
Lembach	F	13	B3
Lemberg	D	13	B3
Lembèye	F	35	A3
Lemelerveld	NL	3	B3
Lemförde	D	3	B5
Lemmer	NL	2	B2
Lempdes	F	24	B3
Lencloître	F	16	C2
Lengerich, *Niedersachsen*	D	3	B4
Lengerich, *Nordrhein-Westfalen*	D	3	B4
Lenk	CH	20	C2
Lennestadt	D	7	A4
Lens	B	5	B3
Lens	F	4	B2
Lens Lestang	F	25	B4
Lenzburg	CH	20	B3
Lenzerheide	CH	21	C4
Léon	F	28	C1
Leonberg	D	13	C5
Leonforte	I	26	C2
Leopoldsburg	B	5	A5
L'Épine	F	32	A1
Leré	F	17	B4
Lerin	E	34	B2
Lerm-et-Musset	F	28	B2
Lérouville	F	12	C1
Les Abrets	F	26	B2
Les Aix-d'Angillon	F	17	B4
Les Ancizes-Comps	F	24	B2
Les Andelys	F	10	B1
Les Arcs, *Savoie*	F	27	B3
Les Arcs, *Var*	F	32	B2
Les Aubiers	F	16	C1
Les Baux-de-Provence	F	31	B3
Les Bézards	F	17	B4
Les Bois	CH	20	B1
Les Bordes	F	17	B4
Les Borges Blanques	E	37	C1
Les Borges del Camp	E	37	C1
Les Brunettes	F	18	C2
Les Cabannes	F	36	B2
Les Contamines-Montjoie	F	26	B3
Les Déserts	F	26	B2
Les Deux-Alpes	F	26	B3
Les Diablerets	CH	20	C1
Les Echelles	F	26	B2
Les Escaldes	AND	36	B2
Les Essarts	F	22	B2
Les Estables	F	25	C4
Les Eyzies-de-Tayac	F	29	B4
Les Gets	F	27	C1
Les Grandes-Ventes	F	9	A5
Les Hauderes	CH	27	A4
Les Herbiers	F	22	B2
Les Hôpitaux-Neufs	F	19	C5
Les Issambres	F	32	B2
Les Mages	F	31	A3
Les Mazures	F	11	B4
Les Mées	F	32	A1
Les Mureaux	F	10	B1
Les Omergues	F	32	A1
Les Orres	F	32	A2
Les Pieux	F	8	A2
Les Ponts-de-Cé	F	16	B1
Les Praz	F	27	B3
Les Riceys	F	18	B3
Les Roches	F	25	B4
Les Rosaires	F	15	A3
Les Rosiers	F	16	B1
Les Sables-d'Olonne	F	22	B2
Les Settons	F	18	B3
Les Ternes	F	24	B2
Les Thilliers-en-Vexin	F	10	B1
Les Touches	F	15	B4
Les Trois Moûtiers	F	16	B2
Les Vans	F	31	A3
Les Verrières	CH	19	C5
Les Vignes	F	30	A2
Lesaka	E	34	A2
Lescar	F	35	A3
L'Escarène	F	33	B3
Lescheraines	F	26	B3
Lesconil	F	14	B1
Lesdins	F	10	B3
Lesmont	F	11	C4
Lesneven	F	14	A1
Lesparre-Médoc	F	28	A2
L'Espérance	F	11	B3
L'Esperou	F	30	A2
Lespone	F	35	A4
L'Espunyola	E	37	B2
Lessay	F	8	A2
Lessines	B	5	B3
L'Estany	E	37	C3
Lesterps	F	23	B4
Leucate	F	36	B4
Leugiay	F	19	B3
Leuk	CH	27	A4
Leukerbad	CH	27	A4
Leusden	NL	2	B2
Leutkirch	D	21	B5
Leuven	B	5	B4
Leuze-en-Hainaut	B	5	B3
Levanto	I	34	A2
Levare	F	8	B3
Leverkusen	D	6	A2
Levet	F	17	C4
Levie	F	38	B2
Levier	F	19	C5
Lévignac	F	29	C4
Lévignen	F	10	B2
Levroux	F	17	C3
Leysin	CH	27	A4
Lézardrieux	F	14	A2
Lézat-sur-Léze	F	36	A2
Lézignan-Corbières	F	30	B1
Lezignan-la-Cèbe	F	30	B2
Lézinnes	F	18	B3
Lezoux	F	25	B3
Lherm	F	36	A2
Lhommaizé	F	23	B4
L'Hospitalet	F	36	B2
L'Hospitalet de l'Infant	E	37	D1
L'Hospitalet de Llobregat	E	37	C3
L'Hospitalet-du-Larzac	F	30	B2
Lhuître	F	11	C4
Liancourt	F	10	B2
Liart	F	11	B4
Liart	F	5	B4
Libourne	F	28	B2
Libramont	F	12	B1
Lich	D	7	B4
Lichères-près-Aigremont	F	18	B3
Lichtenau	D	7	A4
Lichtensteig	CH	21	B4
Lichtenvoorde	NL	3	C3
Lichtervelde	B	4	A3
Licques	F	4	B1
Liège	B	5	B5
Lienen	D	3	B4
Lier	B	5	A4
Liernais	F	18	B3
Liestal	CH	20	B2
Lieurac	F	36	B2
Liévin	F	4	B2
Liffol-le-Grand	F	12	C1
Liffré	F	15	A4
Ligardes	F	29	B3
Ligne	F	15	B4
Lignières	F	17	C4
Ligny-en-Barrois	F	12	C1
Ligny-le-Châtel	F	18	B2
Ligueil	F	16	B2
L'Île-Bouchard	F	16	B2
l'Île-Rousse	F	38	A1
Lille	B	5	A4
Lille	F	5	B3
Lillebonne	F	9	A4
Lillers	F	4	B2
Limbourg	B	6	B1
Limburg	D	7	B4
Limésy	F	9	A4
Limoges	F	23	C5
Limogne-en-Quercy	F	29	B4
Limoise	F	18	C2
Limone Piemonte	I	33	A3
Limons	F	25	B3
Limours	F	10	C1
Limoux	F	36	B3
Linas de Broto	E	35	B3
Lindau	D	21	B4
Lindenberg im Allgäu	D	21	B4
Lindern	D	3	B4
Lindlar	D	6	A3
Lingen	D	3	B4
Linia	PL	47	A4
Linlithgow	GB	25	C4
Linnich	D	6	B1
Linyola	E	37	C1
Linz	A	21	A5
Lion-sur-Mer	F	9	A3
Liposthey	F	28	B2
Lippborg	D	7	A4
Lippoldsberg	D	7	A5
Lippstadt	D	7	A4
Liré	F	15	B4
Lisieux	F	9	A4
L'Isle	CH	19	C5
L'Isle-Adam	F	10	B2
L'Isle-de-Noé	F	29	C3
L'Isle-en-Dodon	F	35	A4
L'Isle-Jourdain, *Gers*	F	29	C4
L'Isle-Jourdain, *Vienne*	F	23	B4
L'Isle-sur-la-Sorgue	F	31	B4
L'Isle-sur-le Doubs	F	19	B5
L'Isle-sur-Serein	F	18	B3
Lisle-sur-Tarn	F	29	C4
Lisse	NL	2	B1
Listrac-Médoc	F	28	A2
Lit-et-Mixe	F	28	B1
Livarot	F	9	B4
Livernon	F	29	B4
Livigno	I	21	C5
Livinallongo	I	27	B5
Livry-Louvercy	F	11	B4
Livron-sur-Drôme	F	25	C4
Lizy-sur-Ourcq	F	10	B3
Lladurs	E	37	B2
Llafranc	E	37	C4
Llagostera	E	37	C3
Llançà	E	36	B4
Llandudec	F	14	A1
Lleida	E	37	C1
Lles	E	36	B2
Llessui	E	36	B2
Llinars	E	37	C3
Llivia	E	36	B3
Lloret de Mar	E	37	C3
Llodio	E	34	A1
Llodosa	E	34	B2
Löhlbach	D	7	A4
Löhnberg	D	7	B4
Lohne, *Niedersachsen*	D	3	B5
Lohra	D	7	B4
Lokeren	B	5	A4
Lollar	D	7	B4
Lombez	F	36	A1
Lommatzsch	D	7	—
Lommel	B	5	A5
Londerzeel	B	5	A4
Londinières	F	9	A5
Longchamp-sur-Aujon	F	19	A3
Longchaumois	F	26	A2
Longeau	F	19	B4
Longecourt-en-Plaine	F	19	B4
Longeville-les-St.-Avold	F	12	B2
Longeville-sur-Mer	F	22	B2
Longny-au-Perche	F	9	B4
Longré	F	23	B3
Longué-Jumelles	F	16	B1
Longueau	F	10	B2
Longuyon	F	12	B1
Longvic	F	19	B4
Longvilly	B	12	A1
Longwy	F	12	B1
Löningen	D	3	B4
Lons-le-Saunier	F	19	C4
Loon op Zand	NL	5	A5
Loone-Plage	F	4	A2
Lopigna	F	38	A1
Loppersum	NL	3	A3
Lor	F	11	B4
Lorch	D	7	B5
Lorch	D	7	B4
Lorgues	F	32	B2
Lorient	F	14	B2
Loriol-sur-Drôme	F	25	C4
Lormes	F	18	B2
Lörrach	D	20	B2
Lorrez-le-Bocage	F	10	C2
Lorris	F	17	B4
Los Arcos	E	34	B1
Losheim, *Nordrhein-Westfalen*	D	6	B3
Losheim, *Saarland*	D	12	B2
Losne	F	19	B4
Losse	F	28	B2
Lossburg	D	13	C4
Losser	NL	3	B4
Louargat	F	14	A2
Loudéac	F	15	A3
Loudun	F	16	B1
Loué	F	16	B1
Louhans	F	19	C4
Loulay	F	22	B3
Lourdes	F	35	A3
Loures-Barousse	F	35	A4
Lourmarin	F	31	B4
Louverné	F	16	A1
Louvie-Juzon	F	35	A3
Louviers	F	9	A5
Louvigné-du-Désert	F	8	B2
Louvois	F	11	B4
Lövenich	D	6	A2
Lubersac	F	23	C5
Luc	F	25	C3
Luc-en-Diois	F	26	C2
Luc-sur-Mer	F	9	A3
Luçay-le-Mâle	F	17	B3
Lucciana	F	38	A2
Lucé	F	10	C1
Lucenay-les-Aix	F	18	C2
Lucenay-l'Évêque	F	18	B3
Lucens	CH	20	C1
Luceram	F	33	B3
Luçon	F	22	B2
Lüdenscheid	D	7	A3
Lüdinghausen	D	6	A3
Ludweiler Warndt	D	12	B2
Ludwigshafen	D	13	B4
Luesia	E	34	B2
Lugny	F	19	C3
Lumbier	E	34	B2
Lumbres	F	4	B2
Luna	E	34	B3
Lunas	F	30	B2
Lunel	F	31	B3
Lünen	D	7	A3
Lunéville	F	12	C2
Lüngern	CH	20	C3
Lünne	D	3	B4
Lunteren	NL	2	B2
Lurcy-Lévis	F	18	C1
Lure	F	19	B5
Luri	F	38	A2
Lury-sur-Arnon	F	17	B4
Lusignan	F	23	B4
Lusigny-sur-Barse	F	18	A3
Lussac	F	28	B2
Lussac-les-Châteaux	F	23	B4
Lussac-les-Églises	F	23	B5
Lussan	F	31	A3
Lustenau	A	21	B4
Lutry	CH	20	C1
Luxembourg	L	12	B2
Luxeuil-les-Bains	F	19	B5
Luxey	F	28	B2
Luz-St. Sauveur	F	35	B3
Luzarches	F	10	B2
Luzech	F	29	B4
Luzern	CH	20	B3
Luzy	F	18	C2
Lyon	F	25	B4
Lyons-la-Forêt	F	10	B1
Lyss	CH	20	B2

M

Name		Page	Grid
Maarheeze	NL	6	A1
Maaseik	B	6	A1
Maastricht	NL	6	A1
Mably	F	25	A4
Maçanet de Cabrenys	E	36	B3
Macau	F	28	A2
Machault	F	11	B4
Machecoul	F	22	B2
Macinaggio	F	38	A2
Mâcon	F	25	A4
Macugnaga	I	27	B4
Made	NL	5	A4
Maël-Carhaix	F	14	A2
Magallon	E	34	C2
Magaña	E	34	C1
Magescq	F	28	C1
Magnac-Bourg	F	23	C5
Magnac-Laval	F	23	B5
Magnières	F	12	C2
Magny-Cours	F	18	C2
Magny-en-Vexin	F	10	B1
Maîche	F	20	B1
Maienfeld	CH	21	B4
Maignelay Montigny	F	10	B2
Maillezais	F	22	B3
Mailly-le-Camp	F	11	C4
Mailly-le-Château	F	18	B2
Maintal	D	7	B4
Maintenon	F	10	C1
Mainvilliers	F	10	C1
Mainz	D	13	A4
Maison-Rouge	F	10	C3
Maissau	A	21	A6
Maizières-lès-Vic	F	12	C2
Makkum	NL	2	A2
Malaucène	F	31	A4
Malaunay	F	9	A5
Malborn	D	12	B2
Malbuisson	F	19	C5
Maldegem	B	4	A3
Malemort	F	29	A4
Malesherbes	F	10	C2
Malestroit	F	15	B3
Malgrat de Mar	E	37	C3
Malicorne-sur-Sarthe	F	16	B1
Malijai	F	32	B2
Mallemort	F	31	B4
Mallén	E	34	C2
Malléon	F	36	B2
Malpas	E	35	B4
Malsch	D	13	C4
Maltat	F	18	C2
Mamer	L	12	B2
Mamers	F	9	B4
Mamirolle	F	19	B5
Manciet	F	28	C3
Mandelieu-la-Napoule	F	32	B2
Manderfeld	D	6	B2
Manderscheid	D	6	B2
Mane, *Alpes-de-Haute-Provence*	F	32	B1
Mane, *Haute-Garonne*	F	35	A4
Mañeru	E	34	B2
Mangiennes	F	12	B1
Manlleu	E	37	C3
Männedorf	CH	21	B3
Mannheim	D	13	B4
Manosque	F	32	B1
Manresa	E	37	C2
Mansle	F	23	C4
Manso	F	38	A1
Mantes-la-Jolie	F	10	C1
Mantes-la-Ville	F	10	C1
Manthelan	F	16	B2
Manzat	F	24	B2
Marans	F	22	B2
Marbach	D	12	C2
Marboz	F	26	A2
Marburg	D	7	B4
Marcenat	F	24	B2
Marchaux	F	19	B5
Marche-en-Famenne	B	5	B5
Marchenoir	F	17	B3
Marcheprime	F	28	B2
Marciac	F	28	C3
Marcigny	F	25	A4
Marcilla	E	34	B2
Marcillac-la-Croisille	F	24	B2
Marcillac-Vallon	F	30	A1
Marcillat-en-Combraille	F	24	A2
Marcille-sur-Seine	F	11	C3
Marcilloles	F	26	B2
Marcilly-le-Hayer	F	11	C3
Marck	F	4	A2
Marckolsheim	F	13	C3
Marennes	F	22	C2
Maresquel	F	4	B1
Mareuil	F	23	C4
Mareuil-en-Brie	F	11	C3
Mareuil-sur-Arnon	F	17	C4
Mareuil-sur-Lay	F	22	B2
Mareuil-sur-Ourcq	F	10	B3
Margaux	F	28	A2
Margerie-Hancourt	F	11	C4
Margès	F	25	B5
Margone	I	27	B4
Margut	F	11	B5
Mariembourg	B	11	A4
Marienbaum	D	6	A2
Marienheide	D	7	A3
Marieux	F	10	A2
Marignane	F	31	B4
Marigny, *Jura*	F	19	C4
Marigny, *Manche*	F	8	A2
Marigny-le-Châtel	F	11	C3
Marine de Sisco	F	38	A2
Marines	F	10	B1
Maringues	F	24	B3
Markdorf	D	21	B4
Markelo	NL	3	B3
Markgröningen	D	13	C5
Markhausen	D	3	B4
Marknesse	NL	2	B2
Marl	D	6	A3
Marlieux	F	25	A5
Marlenheim	F	13	C3
Marmagne	F	18	B3
Marmande	F	28	B3
Marmoutier	F	13	C3
Marnay	F	19	B4
Marnheim	D	13	B4
Marolles-les-Braults	F	9	B4
Maromme	F	9	A5
Marquion	F	4	B3
Marquise	F	4	B1
Marrum	NL	2	A2
Mars-la-Tours	F	12	B1
Marsac	F	29	C5
Marsac-en-Livradois	F	25	B3
Marsberg	D	7	A4
Marseillan	F	30	B2
Marseille en Beauvaisis	F	10	B1
Marseille	F	31	B4
Marson	F	11	C4
Martelange	B	12	B1
Marthon	F	23	C4
Martigné-Briand	F	16	B1
Martigné-Ferchaud	F	15	B4
Martigny	CH	27	A4
Martigny-les-Bains	F	19	A4
Martigues	F	31	B4
Martres Tolosane	F	36	A1

Place				Place				Place			
Marvejols	F	30	A2	Mervans	F	19	C4	Monbazillac	F	29	B3
Marville	F	12	B1	Merville	F	4	B2	Moncalieri	I	27	B4
Mas-Cabardès	F	36	A3	Méry-sur-Seine	F	11	C3	Moncalvo	I	27	B5
Masera	I	27	A5	Merzen	D	3	B4	Moncel-sur-Seille	F	12	C2
Masevaux	F	20	B1	Merzig	D	12	B2	Mönchen-gladbach = München-Gladbach	D	6	A2
Maslacq	F	34	A3	Meschede	D	7	A4				
Masone	I	33	A4	Meschers-sur-Gironde	F	22	C3	Monclar-de-Quercy	F	29	C4
Massat	F	36	B2	Meslay-du-Maine	F	16	B1	Moncontour	F	15	A3
Massay	F	17	B3	Messac	F	15	B4	Moncoutant	F	22	B3
Masseret	F	24	B1	Messancy	B	12	B1	Mondorf-les-Bains	L	12	B2
Masseube	F	35	A4	Messei	F	8	B3	Mondoubleau	F	16	B2
Massiac	F	24	B3	Messingen	D	3	B4	Mondovi	I	33	A3
Massignac	F	23	C4	Messkirch	D	21	B4	Mondragon	F	31	A3
Massmechelen	B	6	B1	Messstetten	D	21	A3	Monein	F	35	A3
Matalebreras	E	34	C1	Mesvres	F	18	C3	Mónesi	I	33	A3
Mataró	F	37	C3	Metelen	D	3	B4	Monesiglio	I	33	A4
Matha	F	23	C3	Metslawier	NL	2	A3	Monestier-de-Clermont	F	26	C2
Mathay	F	20	B1	Mettendorf	D	12	B2	Monestiés	F	30	A1
Matignon	F	15	A3	Mettet	B	5	B4	Monéteau	F	18	B2
Matour	F	25	A4	Mettingen	D	3	B4	Monflanquin	F	29	B3
Maubert-Fontaine	F	11	B4	Mettlach	D	12	B2	Monforte	F	35	B4
Maubeuge	F	5	B3	Mettlen	CH	20	C2	Monforte d'Alba	I	33	A3
Maubourguet	F	35	A4	Mettmann	D	6	A2	Monistrol-d'Allier	F	25	C3
Mauguio	F	31	B3	Metz	F	12	B2	Monistrol de Montserrat	E	37	C2
Maulbronn	D	13	C4	Metzervisse	F	12	B2	Monistrol-sur-Loire	F	25	B4
Maule	F	10	C1	Meulan	F	10	B1	Monnai	F	9	B4
Mauléon	F	23	B2	Meung-sur-Loire	F	17	B3	Monnerville	F	10	C2
Mauléon-Barousse	F	35	B4	Meuzac	F	23	C5	Monnickendam	NL	2	B2
Mauléon-Licharre	F	34	A3	Meximieux	F	26	B2	Monpazier	F	29	B3
Maulevrier	F	22	A3	Meyerhöfen	D	3	B5	Monreal	D	6	B3
Maure-de-Bretagne	F	15	B4	Meylan	F	26	B2	Monreal	F	34	B2
Maureilhan	F	30	B2	Meymac	F	24	B2	Mons	B	5	B3
Mauriac	F	24	B2	Meyrargues	F	32	B1	Monschau	D	6	B2
Mauron	F	15	A3	Meyrueis	F	30	A2	Monségur	F	28	B3
Maury	F	24	C2	Meyssac	F	29	A4	Monster	F	2	B1
Maury	F	36	B3	Meysse	F	25	B4	Mont-de-Marsan	F	28	C2
Maussane-les-Alpilles	F	31	B3	Meyzieu	F	25	B4	Mont-Louis	F	36	B3
Mauvezin	F	29	C3	Mèze	F	30	B2	Mont-roig del Camp	E	37	C1
Mauzé-sur-le-Mignon	F	22	B3	Mézériat	F	25	A5	Mont-St. Aignan	F	9	A5
Maxent	F	15	B3	Mézidon-Canon	F	9	A3	Mont-St. Vincent	F	18	C3
Maxey-sur-Vaise	F	12	C1	Mézières-en-Brenne	F	23	B5	Mont-sous-Vaudrey	F	19	C4
Mayen	D	6	B3	Mézières-sur-Issoire	F	23	B4	Montabaur	D	7	B3
Mayenne	F	8	B3	Mézilhac	F	25	C4	Montafia	I	27	C5
Mayet	F	16	B2	Mézilles	F	18	B2	Montagnac	F	30	B2
Mayres	F	25	C4	Mézin	F	28	B3	Montaigu	F	22	B2
Mazamet	F	30	B1	Mézos	F	28	B1	Montaigu-de-Quercy	F	29	B4
Mazan	F	31	A4	Michelstadt	D	13	B5	Montaigut-en-Forez	F	25	A3
Mazères	F	36	A2	Middelburg	NL	5	A3	Montaigut	F	24	A2
Mazères-sur-Salat	F	35	A4	Middelharnis	NL	5	A4	Montaigut-sur-Save	F	29	C4
Mazières-en-Gâtine	F	23	B3	Middelkerke	B	4	A2	Montainville	F	10	C1
Méan	F	5	B5	Middelstum	NL	3	A3	Montalieu-Vercieu	F	26	B2
Meaulne	F	17	C4	Midwolda	NL	3	A4	Montalivet-les-Bains	F	22	C2
Meaux	F	10	C2	Miélan	F	35	A4	Montana-Vermala	CH	27	A4
Mechelen	B	5	A4	Mieres, Girona	E	37	B3	Montans	F	29	C4
Mechernich	D	6	B2	Miesau	D	13	B3	Montargis	F	17	B4
Meckenbeuren	D	21	B4	Migennes	F	18	B2	Montastruc-la-Conseillère	F	29	C4
Meckenheim, *Rheinland-Pfalz*	D	6	B3	Migné	F	23	B5	Montauban	F	29	B4
Meckenheim, *Rheinland-Pfalz*	D	13	B4	Milagro	E	34	B2	Montauban-de-Bretagne	F	15	A3
Meckesheim	D	13	B4	Millançay	F	17	B3	Montbard	F	18	B3
Medebach	D	7	A4	Millas	F	36	B3	Montbarrey	F	19	A4
Medemblik	NL	2	B2	Millau	F	30	A2	Montbazens	F	30	A1
Meerle	B	5	A4	Millesimo	I	33	A4	Montbazon	F	16	B2
Meersburg	D	21	B4	Millevaches	F	24	B2	Montbéliard	F	20	B1
Meeuwen	B	5	A5	Milly-la-Forêt	F	10	C2	Montbenoit	F	19	C5
Megève	F	26	B3	Mimizan	F	28	B1	Montbeugny	F	18	C2
Mehun-sur-Yèvre	F	17	B4	Mimizan-Plage	F	28	B1	Montblanc	E	37	C2
Meijel	NL	6	A1	Miré	F	16	B1	Montbozon	F	19	B5
Meilen	CH	21	B3	Mirebeau	F	16	C2	Montbron	F	25	B4
Meilhan	F	28	C2	Mirebeau-sur-Bèze	F	19	B4	Montbrun-les-Bains	F	31	A4
Meina	I	27	B5	Mirecourt	F	19	A5	Montceau-les-Mines	F	18	C3
Meinerzhagen	D	7	A3	Mirepoix	F	36	A2	Montcenis	F	18	C3
Meiringen	CH	20	C3	Miribel	F	25	B4	Montchanin	F	18	C3
Meisenheim	D	13	B3	Missillac	F	15	B3	Montcornet	F	11	B4
Meix-devant-Virton	B	12	B1	Mittelberg, *Vorarlberg*	A	21	B5	Montcuq	F	29	B4
Mélisey	F	19	B5	Mittersheim	F	12	C2	Montdardier	F	30	B2
Melle	B	5	A3	Mitton	F	28	B2	Montdidier	F	10	B2
Melle	F	23	B3	Modane	F	26	B3	Monte-Carlo	MC	33	B3
Melle	D	3	B5	Moëlan-sur-Mer	F	14	B2	Montébourg	F	8	A2
Melle	CH	21	B3	Moerbeke	B	5	A3	Montech	F	29	C4
Melun	F	10	C2	Moers	D	6	A2	Montechiaro d'Asti	I	27	B5
Memer	F	29	B4	Möhlin	CH	20	B2	Mont-de-Gelat	F	24	B2
Memmingen	D	21	B5	Moià	E	37	C3	Montelier	F	25	C5
Menat	F	24	A2	Moirans	F	26	B2	Montélimar	F	31	A3
Mendavia	E	34	B1	Moirans-en-Montagne	F	26	A2	Montella	I	36	B2
Mendaza	E	34	B1	Moisdon-la-Rivière	F	15	B4	Montemagno	I	27	B5
Mende	F	30	A2	Moissac	F	29	B4	Montendre	F	28	A2
Menden	D	7	A3	Mol	B	5	A5	Monteneuf	F	15	B3
Mendig	D	6	B3	Molaretto	I	27	B4	Monterosso Grana	I	33	A3
Ménéac	F	15	A3	Molas	F	35	A4	Montesquieu-Volvestre	F	36	A2
Menen	B	4	B4	Molbergen	D	3	B4	Montesquiou	F	29	C3
Menetou-Salon	F	17	B4	Molières	F	29	B4	Montestruc-sur-Gers	F	29	C3
Mengen	D	21	A4	Molinet	F	18	C2	Montfaucon	F	26	B3
Menou	F	18	B2	Molfetta	F	15	A3	Montfaucon-d'Argonne	F	11	B5
Mens	F	26	C2	Moliens de Rei	E	37	C3	Montfaucon-en-Velay	F	25	B4
Menslage	D	3	B4	Mollerussa	E	37	C1	Montferrat, *Isère*	F	26	B2
Menton	F	33	B3	Mollet de Perelada	E	36	B3	Montferrat, *Var*	F	32	B2
Méobecq	F	23	B5	Molló	E	36	B3				
Méounes-les-Montrieux	F	32	B1	Molompize	F	24	B2				
Meppel	NL	2	B3	Moloy	F	19	B3				
Meppen	D	3	B4	Molsheim	F	13	C3				
Mer	F	17	B3	Mombris	D	13	A5				
Merchtem	B	5	B4	Momo	I	27	B5				
Merdrignac	F	15	A3	Monbahus	F	29	B3				
Meréville	F	10	C1								
Merfeld	D	6	A3								
Méribel	F	26	B3								
Méribel Motraret	F	26	B3								
Mérignac	F	28	B2								
Merksplas	B	5	A4								
Merlimont Plage	F	4	B1								
Mers-les-Bains	F	10	A1								
Mersch	L	12	B2								
Méru	F	10	B2								

Place				Place			
Montfort-en-Chalosse	F	28	C2	Morlaix	F	14	A2
Montfort-l'Amaury	F	10	C1	Morley	F	11	C5
Montfort-en-Gesnois	F	16	A2	Mormant	F	10	C2
Montfort-sur-Meu	F	15	A4	Mornant	F	25	B4
Montfort-sur-Risle	F	9	A4	Mornay-Berry	F	17	B4
Montgai	E	37	C1	Moroszo	I	33	A3
Montgaillard	F	35	A4	Morsbach	D	7	B3
Montgenèvre	F	26	C3	Mörsch	D	13	C4
Montgiscard	F	36	A2	Mortagne-au-Perche	F	9	B4
Montguyon	F	28	A2	Mortagne-sur-Gironde	F	22	C3
Monthermé	F	11	B4	Mortagne-sur-Sèvre	F	22	B3
Monthey	CH	27	A3	Mortain	F	8	B3
Monthois	F	11	B4	Morteau	F	19	B5
Monthureux-sur-Saône	F	19	A4	Mortemart	F	23	B4
Montier-en-Der	F	11	C4	Mortrée	F	9	B4
Montiglio	I	27	B5	Mortsel	B	5	A4
Montignac	F	29	A4	Morzine	F	26	A3
Montigny-le-Roi	F	19	B4	Mosbach	D	13	B5
Montigny-lès-Metz	F	12	B2	Mössingen	D	13	C5
Montigny-sur-Aube	F	19	B3	Mostuéjouls	F	30	A2
Montilly	F	18	C2	Mouchard	F	19	C4
Montivilliers	F	9	A4	Moudon	CH	20	C1
Montjaux	F	30	A1	Mougins	F	32	B2
Montjean-sur-Loire	F	16	B1	Mouilleron en-Pareds	F	22	B3
Montlhéry	F	10	C2	Moulinet	F	16	B2
Montlieu-la-Gard	F	28	A2	Moulins	F	33	B3
Montlouis-sur-Loire	F	16	B2	Moulins	F	18	C2
Montluçon	F	24	A2	Moulins-Engilbert	F	18	C2
Montluel	F	25	B5	Moulins-la-Marche	F	9	B4
Montmarault	F	24	A2	Moulismes	F	23	B4
Montmartin-sur-Mer	F	8	B2	Moult	F	9	A3
Montmédy	F	12	B1	Mourenx	F	35	A3
Montmélian	F	26	B3	Mouriès	F	31	B3
Montmeyan	F	32	B2	Mourmelon-le-Grand	F	11	B4
Montmeyran	F	25	C4	Mouscron	B	4	B3
Montmirail, *Marne*	F	11	C3	Moussac	F	31	B3
Montmirail, *Sarthe*	F	16	A2	Moussey	F	12	C2
Montmirat	F	26	B2	Moustéru	F	14	A2
Montmirey	F	31	B3	Moustey	F	28	B2
Montmoreau-St.-Cybard	F	23	C4	Moustiers-Ste.-Marie	F	32	B2
Montmorency	F	10	C2	Mouthe	F	19	C5
Montmorillon	F	23	B4	Mouthier-Haute-Pierre	F	19	B5
Montmort-Lucy	F	11	C3	Mouthoumet	F	36	B3
Montoir-de-Bretagne	F	15	B3	Moutier	CH	20	B2
Montoire-sur-le-Loir	F	16	B2	Moûtiers	F	26	B3
Montolieu	F	36	A3	Moutiers-les-Mauxfaits	F	22	B2
Montpellier	F	31	B2	Mouy	F	10	B2
Montpezat-de-Quercy	F	29	B4	Mouzon	F	11	B5
Montpezat-sous-Bouzon	F	25	C4	Moyenmoutier	F	12	C2
Montpon-Ménéstérol	F	28	A3	Moyenvic	F	12	C2
Montpont-en-Bresse	F	19	C4	Much	D	6	B3
Montréal, *Aude*	F	36	A3	Mudau	D	13	B5
Montréal, *Gers*	F	28	C3	Mudersbach	D	7	B3
Montredon-Labessonnié	F	30	B1	Mugron	F	28	C2
Montréjeau	F	35	A4	Mühlacker	D	13	C4
Montrésor	F	17	B3	Mühlberg	CH	20	C2
Montret	F	19	C4	Mühleim	D	21	A3
Montreuil, *Pas de Calais*	F	4	B1	Mülheim	D	6	A2
Montreuil, *Seine St. Denis*	F	10	C2	Mulhouse	F	20	B2
Montreuil-aux-Lions	F	10	B3	Müllheim	D	20	B2
Montreuil-Bellay	F	16	B1	München-Gladbach = Mönchen-gladbach	D	6	A2
Montreux	CH	20	C1				
Montrevault	F	15	B4	München	D	21	A3
Montrevel-en-Bresse	F	26	A2	Münchhausen	D	7	B4
Montrichard	F	17	B3	Munderkingen	D	21	A4
Montricoux	F	29	B4	Münsingen	D	21	A4
Montrond-les-Bains	F	25	B4	Münster	D	20	C2
Monts-sur-Guesnes	F	16	C2	Münster, *Hessen*	D	13	B4
Montsalvy	F	24	C2	Münster, *Nordrhein-Westfalen*	D	3	C4
Montsauche-les-Settons	F	18	B3	Munster	D	20	A2
Montseny	E	37	C3	Muotathal	CH	21	B3
Montsoreau	F	16	B2	Mur-de-Barrez	F	24	C2
Montsûrs	F	16	A1	Mur-de-Bretagne	F	14	A2
Monzón	E	35	C4	Mur-de-Sologne	F	17	B3
Moordorf	D	3	A4	Murat	F	24	B2
Moorslede	B	4	B3	Murat-sur-Vèbre	F	30	B1
Moos	D	21	B3	Murato	F	38	A2
Morbach	D	12	B3	Murazzano	I	33	A4
Morbier	F	26	A3	Murchante	E	34	B2
Morcenx	F	28	B2	Muret	F	29	C4
Mordelles	F	15	A4	Muri	CH	21	B3
Morée	F	17	B3	Murillo del Fruto	E	34	B2
Morestel	F	26	B2	Muro	F	38	A1
Moret-sur-Loing	F	10	C2	Murol	F	24	B2
Moretta	I	27	C4	Muron	F	22	B3
Moreuil	F	10	B2	Mürren	CH	20	C2
Morez	F	26	A3	Murten	CH	20	C2
Morfelden	D	13	B4	Murviel-lès-Béziers	F	30	B2
Morgat	F	14	A1	Musculdy	F	34	A3
Morges	CH	19	C5	Musselkanaal	NL	3	B4
Morgex	I	27	B4	Mussidan	F	29	A3
Morhange	F	12	C2	Musson	B	12	B1
Moriani Plage	F	38	A2	Mussy-sur-Seine	F	18	B3
Morlaàs	F	35	A3	Muzillac	F	15	B3
				Myennes	F	18	B2

N

Place			
Naaldwijk	NL	5	A4
Näfels	CH	21	B4
Nagele	NL	2	B2
Nago	I	21	B5
Nagore	E	34	B2
Nailloux	F	36	A2
Naintré	F	23	B4

Place			
Najac	F	29	B4
Nalliers	F	22	B3
Nalzen	F	36	B2
Namur	B	5	B4
Nançay	F	17	B4
Nancy	F	12	C2
Nangis	F	10	C3
Nant	F	30	A2
Nanterre	F	10	C2
Nantes	F	15	B4
Nanteuil-le-Haudouin	F	10	B2
Nantiat	F	23	B5
Nantua	F	26	A2
Narbonne	F	30	B1
Narbonne-Plage	F	30	B2
Narzole	I	33	A3
Nasbinals	F	24	C3
Nassau	D	7	B3
Nastätten	D	7	B3
Naters	CH	27	A5
Naucelle	F	30	A1
Naval	E	35	B4
Navalcarnero	E	37	C2
Navarrenx	F	34	A3
Navás	E	37	C2
Navascués	E	34	B2
Navés	E	37	C2
Navilly	F	19	C4
Nay	F	35	A3
Neckargemünd	D	13	B4
Nederweert	NL	6	A1
Neede	NL	3	B3
Neermoor	D	3	A4
Neeroeteren	B	6	A1
Neerpelt	B	5	A5
Négrepelisse	F	29	B4
Neheim	D	7	A3
Néive	I	27	C5
Nemours	F	17	A4
Nenzing	A	21	B4
Nérac	F	29	B3
Néré	F	23	C3
Néris-les-Bains	F	24	A2
Nérondes	F	27	B4
Nes	F	17	C4
Nes	NL	2	A2
Nesle	F	10	B2
Nesslau	CH	21	B4
Nessmersiel	D	3	A4
Netphen	D	7	B4
Netstal	CH	21	B4
Nettancourt	F	11	C4
Nettetal	D	6	A2
Neu-Isenburg	D	13	A4
Neubeckum	F	7	A4
Neuchâtel	CH	20	C1
Neudorf	D	13	B4
Neuenbürg, *Baden-Württemberg*	D	13	C4
Neuenburg, *Niedersachsen*	D	3	A4
Neuenhaus	D	3	B3
Neuenkirchen, *Niedersachsen*	D	3	B5
Neuenkirchen, *Nordrhein-Westfalen*	D	3	B4
Neuenkirchen, *Nordrhein-Westfalen*	D	7	B3
Neuenrade	D	7	A3
Neuerburg	D	12	A2
Neuf-Brisach	F	20	A2
Neufchâteau	B	12	B1
Neufchâteau	F	12	C1
Neufchâtel-en-Bray	F	10	B1
Neufchâtel-sur-Aisne	F	11	B4
Neuflize	F	11	B4
Neuharlingersiel	D	3	A4
Neuhaus, *Niedersachsen*	D	7	A5
Neuhausen	D	21	B3
Neuhausen ob Eck	D	21	B3
Neuillé-Pont-Pierre	F	16	B2
Neuilly-en-Thelle	F	10	B2
Neuilly-le-Réal	F	18	C2
Neuilly-l'Évêque	F	19	B4
Neuilly-St. Front	F	10	B3
Neukirchen, *Hessen*	D	7	B5
Neulise	F	25	B4
Neumagen	D	12	B2
Neung-sur-Beuvron	F	17	B3
Neunkirch, *Luzern*	CH	20	B3
Neunkirch, *Schaffhausen*	CH	21	B3
Neunkirchen, *Nordrhein-Westfalen*	D	7	B3
Neunkirchen, *Saarland*	D	12	B3
Neuravensburg	D	21	B4
Neureut	D	13	B4
Neuss	D	6	A2
Neussargues-Moissac	F	24	B2
Neustadt, *Hessen*	D	7	B5
Neustadt, *Rheinland-Pfalz*	D	13	B4
Neuves-Maisons	F	12	C2
Neuvic, *Corrèze*	F	24	B2
Neuvic, *Dordogne*	F	29	A3
Neuville-aux-Bois	F	17	A4
Neuville-de-Poitou	F	23	B4

Name		Map	Grid
Neuville-les-Dames	F	25	A5
Neuville-sur-Saône	F	25	B4
Neuvy-le-Roi	F	16	B2
Neuvy-St. Sépulchre	F	17	C3
Neuvy-Santour	F	18	A2
Neuvy-sur-Barangeon	F	17	B4
Neuwied	D	6	B3
Névache	F	26	B3
Nevers	F	18	C2
Névez	F	14	B2
Nexon	F	23	C5
Nice	F	33	B3
Nidda	D	7	B5
Nieder-Olm	D	13	B4
Niederbipp	CH	10	B2
Niederbronn-les-Bains	F	13	C3
Niederfischbach	D	7	B3
Niederkrüchten	D	6	A2
Niederurnen	CH	21	B4
Nieheim	D	7	A5
Nierstein	D	13	B4
Nieul-le-Dolent	F	22	B2
Nieul-sur-Mer	F	22	B2
Nieuw-Amsterdam	NL	3	B3
Nieuw-Buinen	NL	3	B3
Nieuw-Weerdinge	NL	3	B3
Nieuwe Niedorp	NL	2	B1
Nieuwe-Pekela	NL	3	A3
Nieuwe-schans	NL	3	A4
Nieuwegein	NL	2	B2
Nieuwerkerken	B	5	B5
Nieuwolda	NL	3	A3
Nieuwpoort	B	4	A2
Nijkerk	NL	2	B2
Nijlen	B	5	A4
Nijmegen	NL	6	A1
Nijverdal	NL	3	B3
Nîmes	F	31	B3
Ninove	B	5	B4
Niort	F	22	B3
Nissan-lez-Ensérune	F	30	B2
Nitry	F	18	B2
Nivelles	B	5	B4
Nizza Monferrato	I	27	C5
Noailles	F	10	B2
Noain	E	34	B2
Nods	F	19	B5
Noé	F	36	A2
Noeux-les-Mines	F	4	A2
Nogaro	F	28	C2
Nogent	F	19	A4
Nogent l'Artaud	F	10	C3
Nogent-le-Roi	F	10	C1
Nogent-le-Rotrou	F	9	B4
Nogent-sur-Seine	F	11	C3
Nogent-sur-Vernisson	F	17	B4
Nohfelden	D	12	B3
Nohn	D	6	B2
Noirétable	F	25	B3
Noirmoutier-en-l'Île	F	22	A1
Nolay	F	18	C3
Noli	I	33	A4
Nomeny	F	12	C2
Nomexy	F	12	C2
Nonancourt	F	9	B5
Nonant-le-Pin	F	9	B4
None	I	27	C4
Nontron	F	23	C4
Nonza	F	38	A2
Noordhorn	NL	3	A3
Noordwijk	NL	2	B1
Noordwijkerhout	NL	2	B1
Noordwolde	NL	3	B3
Nordausques	F	4	A2
Norddeich	D	3	A4
Norden	D	3	A4
Norderney	D	3	A4
Nordhorn	D	3	B4
Nordwalde	D	3	B4
Norg	NL	3	A3
Norrent-Fontes	F	4	B2
Nort-sur-Erdre	F	15	B4
Nörvenich	D	6	B2
Nottuln	D	3	B4
Nouan-le-Fuzelier	F	17	B4
Nouans-les-Fontaines	F	17	B3
Nougaroulet	F	29	C3
Nouvion	F	4	A1
Nouzonville	F	11	B4
Novalaise	F	26	B2
Novales	E	35	B3
Noves	F	31	B3
Novés de Segre	E	37	B2
Noville	B	12	A1
Novion-Porcien	F	11	B4
Novy-Chevrières	F	11	B4
Noyal-Pontivy	F	15	B3
Noyalo	F	15	B3
Noyant	F	16	B2
Noyelles-sur-Mer	F	4	A1
Noyers	F	18	B2
Noyers-sur-Cher	F	17	B3
Noyers-sur-Jabron	F	32	A1
Noyon	F	10	B2
Nuaillé	F	16	B1
Nuaillé-d'Aunis	F	22	B3
Nuars	F	18	B2
Nuéno	E	35	B3
Nuits	F	18	B3
Nuits-St. Georges	F	19	B3
Numansdorp	NL	5	A4
Nümbrecht	D	7	B3
Nunspeet	NL	2	B2
Nus	I	27	B4
Nusplingen	D	21	A3
Nyon	CH	26	A3
Nyons	F	31	A4

O

Name		Map	Grid
Ober-Morlen	D	7	B4
Oberbruck	F	20	B1
Oberdiessbach	CH	20	C2
Oberdorf	CH	20	B2
Oberhausen	D	6	A2
Oberkirch	D	13	C4
Oberkirchen	D	7	A4
Obernai	F	13	C3
Obernberg	A	20	A3
Obernburg	D	13	B5
Oberndorf	D	13	C4
Oberriet	CH	21	B4
Oberstaufen	D	21	B5
Oberstdorf	D	21	B5
Obersursel	D	7	B4
Oberwesel	D	13	A3
Oberwinter	D	6	B3
Objat	F	29	A4
Obrigheim	D	13	B5
Occimiano	I	27	B5
Ochagavia	E	34	B2
Ochsenhausen	D	21	A4
Ochtendung	D	6	B3
Ochtrup	D	3	B4
Octeville	F	8	A2
Oeding	D	3	B4
Oegstgeest	NL	2	B1
Oelde	D	7	A4
Oer-Erkenschwick	D	7	A4
Oeventrop	D	7	A4
Offenbach	D	7	B4
Offenburg	D	13	C3
Offranville	F	9	A5
Offterschwang	D	21	B5
Ohey	B	5	B5
Oiartzun	E	34	A2
Oiselay-et-Grachoux	F	19	B4
Oisemont	F	10	B1
Oisterwijk	NL	5	A5
Olague	E	34	B2
Olargues	F	30	B1
Olazagutia	E	34	B1
Oldeberkoop	NL	3	B3
Oldeboorn	NL	2	A2
Oldebrok	NL	3	A5
Oldenburg, *Niedersachsen*	D	3	A5
Oldenzaal	NL	3	B3
Oldenburg	D	3	A4
Olen	B	5	A4
Olesa de Montserrat	E	37	C2
Oletta	F	38	A2
Olette	F	36	B3
Olfen	D	3	B4
Oliana	E	37	B2
Olite	E	34	B2
Olivet	F	17	B3
Olivone	CH	21	C3
Olliergues	F	25	B3
Olmeto	F	38	B1
Olonne-sur-Mer	F	22	B2
Olonzac	F	30	B1
Oloron-Ste. Marie	F	35	A3
Olost	E	37	C3
Olot	E	37	B3
Olpe	D	7	A4
Olsberg	D	7	A4
Olsene	B	5	A3
Olten	CH	20	B2
Olvega	E	34	C2
Omegna	I	27	B5
Ommen	NL	3	B3
On	B	5	B5
Onesse-et-Laharie	F	28	B1
Onhaye	B	5	B4
Onzain	F	17	B3
Oost-Vlieland	NL	2	A2
Oostburg	NL	5	A3
Oostende	B	4	A2
Oosterend	NL	2	A2
Oosterhout	NL	5	A4
Oosterwolde	NL	3	B3
Oosterzele	B	5	A3
Oosthuizen	NL	2	B2
Oostkamp	B	4	A3
Oostvoorne	NL	5	A4
Ootmarsum	NL	3	B3
Opeinde	NL	2	A2
Oper Thalkirchdorf	D	21	B5
Opglabbeek	B	6	A1
Opmeer	NL	2	B1
Oppenau	D	13	C4
Oppenheim	D	13	B4
Oradour-sur-Glane	F	23	C5
Oradour-sur-Vayres	F	23	C4
Oraison	F	32	B1
Orange	F	31	A3
Orbais	F	11	C3
Orbassano	I	27	B4
Orbe	CH	20	C1
Orbec	F	9	A4
Orbigny	F	17	B3
Orchamps-Vennes	F	19	B5
Orches	F	16	C2
Orchies	F	4	B3
Orcières	F	26	C3
Ordino	AND	36	B2
Ordizia	E	34	A1
Organyà	E	37	B2
Orgelet	F	19	C4
Orgeres-en-Beauce	F	17	A3
Orgibet	F	35	B4
Orgnac-l'Aven	F	31	A3
Orgon	F	31	B4
Orléans	F	17	B3
Ormea	I	33	A3
Omans	F	19	B5
Oron-la-Ville	CH	20	C1
Oropa	I	27	B4
Orreaga-Roncesvalles	F	34	A2
Orsay	F	10	C2
Orscholz	D	12	B2
Orsennes	F	17	C3
Orsières	CH	27	A4
Orthez	F	28	C2
Ortilla	E	35	B3
Orvault	F	15	B4
Osann-Monzel	D	12	B2
Osnabrück	D	3	B5
Ospedaletti	I	33	B3
Oss	NL	6	A1
Ossun	F	35	A3
Ostbevern	D	3	B4
Ostercappeln	D	3	B5
Ostheim	F	20	A2
Osthofen	D	13	B4
Ostiz	E	34	B2
Ostrach	D	21	B4
Ostrhauderfehn	D	3	A4
Oteiza	E	34	B2
Ottenhöfen	D	13	C4
Otterbach	D	13	B3
Otterberg	D	13	B3
Ottersweier	D	13	C4
Ottignies	B	5	B4
Ottmarsheim	F	20	B2
Ottobeuren	D	21	B5
Ottweiler	D	12	B3
Ouanne	F	18	B2
Ouarville	F	10	C1
Oucques	F	17	B3
Oud-Beijerland	NL	5	A4
Oud Gastel	NL	5	A4
Ouddorp	NL	5	A3
Oude-Pekela	NL	3	A4
Oude-Tonge	NL	5	A4
Oudemirdum	NL	2	B2
Oudenaarde	NL	5	A3
Oudenbosch	NL	5	A4
Oudenburg	B	4	A3
Oudewater	NL	2	B1
Oudon	F	15	B4
Ouistreham	F	9	A3
Oulchy-le-Château	F	11	B3
Oullins	F	25	B4
Oulmes	F	22	B3
Oulx	I	27	B3
Ouroux-en-Morvan	F	18	B2
Oust	F	36	B2
Outreau	F	4	B1
Ouzouer-le-Marché	F	17	B3
Ouzouer-sur-Loire	F	17	B4
Ovada	I	33	A4
Overath	D	7	B3
Overbeke	B	5	B4
Overijse	B	5	B4
Overpelt	B	5	A5
Oviglio	I	27	C5
Oyonnax	F	26	A2
Ozzano Monferrato	I	27	B5

P

Name		Map	Grid
Paal	B	5	A5
Pacy-sur-Eure	F	10	B1
Paderborn	D	7	A4
Paesana	I	27	C4
Pagny-sur-Moselle	F	12	C2
Pailhès	F	36	A2
Paimboeuf	F	15	B3
Paimpol	F	14	A2
Paimpont	F	15	B3
Palafrugell	E	37	B4
Palaiseau	F	10	C2
Palamós	E	37	B4
Palavas-les-Flots	F	31	B2
Paliseul	B	11	B5
Pallanza	I	27	B5
Pallerols	E	37	B2
Palluau	F	22	B2
Palmerola	E	37	B3
Pals	E	37	B4
Pamiers	F	36	A2
Pamparato	I	33	A3
Pamplona	E	34	B2
Pancalieri	I	27	C4
Pancey	F	11	C4
Panissières	F	25	B4
Pannes	F	17	B4
Panningen	NL	6	A1
Panticosa	E	35	B3
Papenburg	D	3	A4
Paramé	F	15	A4
Paray-le-Monial	F	18	C3
Parcey	F	19	B4
Parennes	F	16	A1
Parentis-en-Born	F	28	B1
Pargny-sur-Saulx	F	11	C4
Pari-Gagné	F	25	A4
Parigné-l'Évêque	F	16	B2
Paris	F	10	C2
Parisot	F	29	B4
Parlavà	E	37	B4
Parthenay	F	16	C1
Passais	F	8	B3
Patay	F	17	B3
Patersvelde	NL	3	A3
Patrimonio	F	38	A2
Pau	F	35	A3
Pauillac	F	28	A2
Paulhaguet	F	25	B3
Paulhan	F	30	B2
Pavilly	F	9	A4
Payerne	CH	20	C1
Payrac	F	29	B4
Paziols	F	36	B3
Peckelsheim	D	7	A5
Pedrola	E	34	C2
Pegli	I	33	A4
Peïsey-Nancroix	F	26	B3
Pélissanne	F	31	B4
Pellegrue	F	28	B3
Pellevoisin	F	17	C3
Pelussin	F	25	B4
Penmarch	F	14	B1
Penne-d'Agenais	F	29	B3
Pepinster	B	6	B1
Peralta	E	34	B2
Peralta de la Sal	E	35	B4
Percy	F	8	B2
Perdiguera	E	35	C3
Perelada	E	37	B4
Périers	F	8	A2
Périgueux	F	29	A3
Perles-les-Fontaines	F	31	A4
Pérols	F	31	B2
Péronne	F	10	B2
Péronnes	B	5	B4
Perosa Argentina	I	27	C4
Perpignan	F	36	B3
Perrecy-les-Forges	F	18	C3
Perrero	I	27	C4
Perrignier	F	26	A3
Perros-Guirec	F	14	A2
Persan	F	10	B2
Pertuis	F	31	B4
Péruwelz	B	5	B3
Perwez	B	5	B4
Pesmes	F	19	B4
Pessac	F	28	B2
Pétange	L	12	B1
Petreto-Bicchisano	F	38	B1
Peveragno	I	33	A3
Pewsum	D	3	A4
Peyrat-le-Château	F	24	B1
Peyrehorade	F	28	C1
Peyriac-Minervois	F	36	A3
Peyrins	F	25	B5
Peyrissac	F	24	A1
Peyrolles-en-Provence	F	31	B4
Peyruis	F	32	A1
Pézarches	F	10	C2
Pézenas	F	30	B2
Pezuls	F	29	B3
Pfaffenhoffen	F	13	C3
Pfäffikon	CH	21	B3
Pfarrkirchen	D	20	B3
Pforzheim	D	13	C4
Pfullendorf	D	21	B4
Pfunds	A	21	B5
Pfyn	CH	21	B3
Phalsbourg	F	12	C3
Philippeville	B	5	B4
Piana	F	38	A1
Piana Crixia	I	33	A4
Piano	I	27	C5
Picquigny	F	10	B2
Piediluco	I	20	C2
Piedicroce	F	38	A2
Piedimulera	I	27	A5
Piera	E	37	C2
Pierre-Buffière	F	24	A1
Pierre-de-Bresse	F	19	C4
Pierrecourt	F	19	B4
Pierrefeu-du-Var	F	32	B2
Pierrefitte-Nestalas	F	35	B3
Pierrefitte-sur-Aire	F	12	C1
Pierrefonds	F	10	B2
Pierrefontaine-les-Varans	F	19	B5
Pierrefort	F	24	C2
Pierrelatte	F	31	A3
Pierrepont, *Aisne*	F	11	B3
Pierrepont, *Meurthe-et-Moselle*	F	12	B1
Pietra Ligure	I	33	A4
Pieve di Teco	I	33	A3
Pignan	F	30	B2
Pignans	F	32	B2
Pijnacker	NL	2	B1
Pinas	F	35	A4
Pineda de Mar	E	37	C3
Pinerolo	I	27	C4
Piney	F	11	C4
Pino	F	38	A2
Pinols	F	24	B2
Pinsat	F	24	A2
Pipriac	F	15	B4
Piré-sur-Seiche	F	15	A4
Piriac-sur-Mer	F	15	B3
Pirmasens	D	13	B3
Pisany	F	22	C3
Pissos	F	28	B2
Pithiviers	F	17	A4
Plabennec	F	14	A1
Plaffeien	CH	20	C2
Plaisance, *Gers*	F	28	C3
Plaisance, *Haute-Garonne*	F	29	C4
Plaisance, *Tarn*	F	30	B1
Plan	F	35	B4
Plan-de-Baix	F	26	C2
Plan-d'Orgon	F	31	B3
Planchez	F	18	B2
Plancoët	F	15	A3
Plancy-l'Abbaye	F	11	C3
Platja d'Aro	E	37	B4
Playben	F	14	A2
Pléaux	F	24	B2
Pleine-Fougères	F	8	B2
Plélan-le-Grand	F	15	B3
Plémet	F	15	B3
Pléneuf-Val-André	F	15	A3
Plérin	F	15	A3
Plessé	F	15	B4
Plestin-les-Grèves	F	14	A2
Plettenberg	D	7	A3
Pleubian	F	14	A2
Pleumartin	F	23	B4
Pleumeur-Bodou	F	14	A2
Pleurs	F	11	C3
Pleyber-Christ	F	14	A2
Ploemeur	F	14	B2
Ploërmel	F	15	B3
Ploeuc-sur-Lie	F	15	A3
Plogastel St. Germain	F	14	A1
Plogoff	F	14	A1
Plombières-les-Bains	F	19	B5
Plonéour-Lanvern	F	14	B1
Plouagat	F	15	A3
Plouaret	F	14	A2
Plouarzel	F	14	A1
Plouay	F	14	B2
Ploubalay	F	15	A3
Ploubazlanec	F	14	A2
Ploudalmézeau	F	14	A1
Ploudiry	F	14	A1
Plouescat	F	14	A1
Plouézec	F	14	A2
Plougasnou	F	14	A2
Plougastel-Daoulas	F	14	A1
Plougonven	F	14	A2
Plougonver	F	14	A2
Plougrescant	F	14	A2
Plouguenast	F	15	B3
Plouguerneau	F	14	A1
Plouha	F	14	A2
Plouhinec	F	14	A1
Plouigneau	F	14	A2
Ploumanach	F	14	A2
Plounévez-Quintin	F	14	A2
Plouray	F	14	A2
Plouzévédé	F	14	A1
Plozévet	F	14	A1
Pluméliau	F	14	B2
Pluvigner	F	14	B2
Pobla de Segur	E	35	B4
Podensac	F	28	B2
Pogny	F	11	C4
Poiano	I	21	B6
Poisson	F	25	A4
Poissons	F	11	C4
Poissy	F	10	C2
Poitiers	F	23	B4
Poix-de-Picardie	F	10	B1
Poix-Terron	F	11	B4
Polaincourt-et-Clairefontaine	F	19	B5
Polch	D	6	B3
Poleñino	E	35	C3
Poligny	F	19	C4
Polminhac	F	24	B2
Pomarez	F	28	C2
Pommard	F	18	C3
Pompey	F	12	C2
Poncin	F	26	A2
Pons	F	22	C3
Pont-a-Celles	B	5	B4
Pont-à-Marcq	F	4	B3
Pont-à-Mousson	F	12	C2
Pont-Audemer	F	9	A4
Pont-Aven	F	14	B2
Pont Canavese	I	27	B4
Pont-Croix	F	14	A1
Pont-d'Ain	F	26	A2
Pont-de-Beauvoisin	F	26	B2
Pont-de-Buis-lès-Quimerch	F	14	A1
Pont-de-Chéruy	F	26	B2
Pont de Dore	F	25	B3
Pont-de-Labeaume	F	25	C4
Pont-de-l'Arche	F	9	A5
Pont de Molins	E	37	B4
Pont-de-Roide	F	20	B1
Pont-de-Salars	F	30	A1
Pont-de-Suert	E	35	B4
Pont-de-Vaux	F	25	A4
Pont-de-Veyle	F	25	A4
Pont d'Espagne	F	35	B3
Pont d'Ouilly	F	9	B3
Pont-du-Château	F	24	B3
Pont-du-Navoy	F	19	C4
Pont-en-Royans	F	26	C2
Pont Farcy	F	8	B2
Pont-l'Abbé	F	14	B1
Pont-l'Évêque	F	9	A4
Pont-Remy	F	10	A1
Pont-St. Esprit	F	31	A3
Pont-St. Mamet	F	29	B3
Pont-St. Martin	I	15	B4
Pont-St. Martin	F	27	B4
Pont-St. Vincent	F	12	C2
Pont-Ste. Maxence	F	10	B2
Pont Scorff	F	14	B2
Pont-sur-Yonne	F	18	A2
Pontacq	F	35	A3
Pontailler-sur-Saône	F	19	B4
Pontarion	F	24	B1
Pontarlier	F	19	C5
Pontaubault	F	8	B2
Pontaumur	F	24	B2
Pontcharra	F	26	B2
Pontcharra-sur-Turdine	F	25	B4
Pontchâteau	F	15	B3
Ponte di Nava	I	33	A3
Ponte-Leccia	F	38	A2
Pontedassio	I	33	B3
Pontedécimo	I	33	A4
Pontenx-les-Forges	F	28	B1
Pontfaverger-Moronvilliers	F	11	B4
Pontgibaud	F	24	B2
Pontigny	F	18	B2
Pontijou	F	17	B3
Pontinvrea	I	33	A4
Pontivy	F	14	A3
Pontlevoy	F	17	B3
Pontoise	F	10	B2
Pontonx-sur-l'Abour	F	28	C2
Pontorson	F	8	B2
Pontresina	CH	21	C4
Pontrieux	F	14	A2
Ponts	E	37	C2
Ponts-aux-Dames	F	10	C2
Pontvallain	F	16	B2
Poperinge	B	4	B2
Poppel	B	5	A5
Pordic	F	14	A3
Pornic	F	15	B3
Pornichet	F	15	B3
Porquerolles	F	32	C2
Porrentruy	CH	20	B2
Porspoder	F	14	A1
Port-a-Binson	F	11	B3
Port-Barcarès	F	36	B4
Port-Camargue	F	31	B3
Port-de-Bouc	F	31	B3
Port-de-Lanne	F	28	C1
Port-des-Barques	F	22	C2
Port-en-Bessin	F	8	A3
Port-Joinville	F	22	B1
Port-la-Nouvelle	F	36	B4
Port Louis	F	14	B2
Port Manech	F	14	B2
Port-Navalo	F	14	B3
Porto	F	38	A1
Porto-Vecchio	F	38	B2
Portsall	F	14	A1
Possesse	F	11	C4
Posterholt	NL	6	A2
Potigny	F	9	B3
Pouancé	F	15	B4
Pougues-les-Eaux	F	18	B2
Pouilly-en-Auxois	F	18	B3
Pouilly-sous-Charlieu	F	25	A4
Pouilly-sur-Loire	F	18	B2
Poujol-sur-Orb	F	30	B1
Poullaouen	F	14	A2
Pourcy	F	11	B3
Pouy-de-Touges	F	36	A2
Pouyastruc	F	35	A4
Pouzauges	F	22	B3
Pozán de Vero	E	35	B4
Pradelle	F	26	C2
Pradelles	F	25	C3
Prades	F	36	B3
Prades	F	25	C3
Pragelato	I	27	C3
Prahecq	F	22	B3
Pralognan-la-Vanoise	F	26	B3
Prat	F	36	A2
Pratdip	E	37	C1
Prats-de-Mollo-la-Preste	F	36	B3
Prauthoy	F	19	B4
Prayssac	F	29	B4
Prazzo	I	27	C4
Pré-en-Pail	F	9	B3
Préchac	F	28	B2
Précy-sur-Thil	F	18	B3
Préfailles	F	15	B3
Preignan	F	29	C3
Prémery	F	18	B2
Premià de Mar	E	37	C3
Prémont	F	11	A3
Presly	F	17	B4

Name	Country	Page	Grid
Pressac	F	23	B4
Preuilly-sur-Claise	F	23	B4
Prevenchères	F	31	A2
Préveranges	F	24	A2
Priay	F	26	A2
Primel-Trégastel	F	14	A2
Primstal	D	12	B2
Privas	F	25	C4
Profondeville	B	5	B4
Propriano	F	38	B1
Provins	F	10	C3
Prüm	D	6	B2
Prunelli-di-Fiumorbo	F	38	A2
Pruniers	F	17	C4
Puchevillers	F	10	A2
Puderbach	D	7	B3
Puente de Montañana	E	35	B4
Puente la Reina	E	34	B2
Puente la Reina de Jaca	E	34	B3
Puget-Sur-Argens	F	32	B2
Puget-Théniers	F	32	B2
Puget-ville	F	32	B2
Puig Reig	E	37	C2
Puigcerdà	E	37	C3
Puillon	F	28	C2
Puimichel	F	32	B2
Puimoisson	F	32	B2
Puiseaux	F	17	A4
Puiseux	F	10	A2
Puissanguier	F	30	B2
Puivert	F	36	B3
Pujols	F	28	B2
Pulheim	D	6	A2
Purmerend	NL	2	B1
Putanges-Pont-Ecrepin	F	9	B3
Putte	B	5	A4
Puttelange-aux-Lacs	F	12	B2
Putten	NL	2	B2
Püttlingen	D	12	B2
Puy-Guillaume	F	25	B3
Puy-l'Évêque	F	29	B4
Puylaroque	F	29	B4
Puylaurens	F	36	A3
Puymirol	F	29	B3
Puyôo	F	28	C2
Puyrolland	F	22	B3
Pyla-sur-Mer	F	28	B1

Q

Name	Country	Page	Grid
Quakenbrück	D	3	B4
Quargnento	I	27	C5
Quarré-les-Tombes	F	18	B2
Quatre-Champs	F	11	B4
Queige	F	26	B3
Queixans	E	36	B2
Quel	E	34	B1
Quelaines-St-Gault	F	16	B1
Queralbs	E	37	B3
Quérigut	F	36	B3
Querqueville	F	8	A2
Questembert	F	15	B3
Quettehou	F	8	A2
Quevauvillers	F	10	B2
Quevy	B	5	B4
Quiberon	F	14	B2
Quiberville	F	9	A4
Quiévrain	B	5	B3
Quillan	F	36	B3
Quillebeuf	F	9	A4
Quimper	F	14	A1
Quimperlé	F	14	B2
Quincampoix	F	9	A5
Quincy	F	17	B4
Quinéville	F	8	A2
Quingey	F	19	B4
Quinson	F	32	B2
Quinssaines	F	24	A2
Quintin	F	14	A3
Quissac	F	31	B2

R

Name	Country	Page	Grid
Raalte	NL	3	B3
Raamsdonksveer	NL	5	A4
Rabastens	F	29	C4
Rabastens-de-Bigorre	F	35	A4
Racconigi	I	27	C4
Rachecourt-sur-Marne	F	11	C5
Radevormwald	D	6	A3
Radolfzell	D	21	B3
Raeren	D	6	B2
Raesfeld	D	6	A2
Rambervillers	F	12	C2
Rambouillet	F	10	C1
Rambucourt	F	12	C2
Ramerupt	F	11	C4
Ramiswil	CH	20	B2
Ramonville-St.-Agne	F	29	C4
Ramsbeck	D	7	A4
Ramstein-Meisenbach	D	13	B3
Rance	B	11	A4
Randan	F	25	A3
Rânes	F	9	B3
Rankweil	A	21	B4
Ransbach-Baumbach	D	7	B3
Raon-l'Étape	F	12	C2
Rapperswil	CH	21	B3
Rasal	E	35	B3
Rastatt	D	13	C4
Rastede	D	3	A5
Ratingen	D	6	A2
Raucourt-et-Flaba	F	11	B4
Raulhac	F	24	C2
Rauville-la-Bigot	F	8	A2
Rauzan	F	28	B2
Ravels	B	5	A4
Ravensburg	D	21	B4
Razes	F	23	B5
Réalmont	F	30	B1
Rebais	F	10	C3
Recey-sur-Ource	F	18	B3
Recklinghausen	D	6	A3
Recogne	B	12	B1
Recoules-Prévinquières	F	30	A1
Redange	L	12	B1
Redon	F	15	B3
Rees	D	6	A2
Régil	E	34	A1
Reichelsheim	D	13	B4
Reichshoffen	F	13	C3
Reiden	CH	20	B2
Reillanne	F	32	B1
Reims	F	11	B4
Reinach	CH	20	B3
Reinheim	D	13	B4
Remagen	D	6	B3
Rémalard	F	9	B4
Rembercourt-aux-Pots	F	11	C5
Remels	D	3	A4
Remich	L	12	B2
Rémilly	F	12	B2
Remiremont	F	19	A5
Remolinos	E	34	C2
Remoulins	F	31	B3
Remscheid	D	6	A3
Remuzat	F	31	A4
Renaison	F	25	A3
Renazé	F	15	B4
Renchen	D	13	C4
Rencurel	F	26	B2
Renens	CH	19	C5
Rennerod	D	7	B4
Rennes	F	15	A4
Rennes-les-Bains	F	36	B3
Rentería	E	34	A2
Réquista	F	30	A1
Ressons-sur-Matz	F	10	B2
Rethel	F	11	B4
Retie	B	5	A5
Retiers	F	15	B4
Retournac	F	25	B4
Reuilly	F	17	B4
Reus	E	37	C2
Reusel	NL	5	A5
Reuver	NL	6	A2
Revel	F	36	A3
Revello	I	27	C4
Revest-du-Bion	F	32	A1
Revigny-sur-Ornain	F	11	C4
Revin	F	11	B4
Rezé	F	15	B4
Rhaunen	D	13	B3
Rheda-Wiedenbrück	D	7	A4
Rhede, Niedersachsen	D	3	B4
Rhede, Nordrhein-Westfalen	D	6	A2
Rheinau	D	13	C3
Rheinbach	D	6	B2
Rheinberg	D	6	A2
Rheine	D	3	B4
Rheinfelden	D	20	B2
Rhêmes-Notre-Dame	I	27	B4
Rhenen	NL	2	B2
Rhens	D	7	B3
Rheydt	D	6	A2
Rhoden	D	7	A5
Riallé	F	15	B4
Rians	F	32	B1
Ribaforada	E	34	C2
Ribeauvillé	F	20	A2
Ribécourt-Dreslincourt	F	10	B2
Ribemont	F	11	B3
Ribera de Cardós	E	36	B2
Ribérac	F	29	A3
Ribes de Freser	E	37	B3
Ribiers	F	32	A1
Richebourg	F	19	A4
Richelieu	F	16	B2
Richisau	CH	21	B3
Richterswil	CH	21	B3
Ridderkerk	NL	5	A4
Riddes	CH	27	A4
Riec-sur-Bélon	F	14	B2
Riedlingen	D	21	A4
Riedstadt	D	13	B4
Riemst	B	6	B1
Rienne	B	11	B4
Rietberg	D	7	A4
Rieumes	F	36	A2
Rieupeyroux	F	30	A1
Rieux	F	36	A2
Riez	F	32	B2
Riggisberg	CH	20	C2
Rignac	F	30	A1
Rijen	NL	5	A4
Rijkevorsel	B	5	A4
Rijssen	NL	3	B3
Rillé	F	16	B2
Rimogne	F	11	B4
Rincón de Soto	E	34	B2
Riom	F	24	B3
Riom-ès-Montagnes	F	24	B2
Rion-des-Landes	F	28	C2
Riotord	F	25	B4
Rioz	F	19	B5
Ripoll	E	37	B3
Rischenau	D	7	A5
Riscle	F	28	C2
Riva Ligure	I	33	B3
Rivarolo Canavese	I	27	B4
Rive-de-Gier	F	25	B4
Rivedoux-Plage	F	22	B2
Rives	F	26	B2
Rivesaltes	F	36	B3
Rivoli	I	27	B4
Rixheim	F	20	B2
Roanne	F	25	A4
Robertville	B	6	B2
Robres	E	35	C3
Robres del Castillo	E	34	B1
Rocafort de Queralt	E	37	C2
Rocamadour	F	29	B4
Roche-lez-Beaupré	F	19	B5
Rochechouart	F	23	C4
Rochefort	F	22	B3
Rochefort	D	11	B4
Rochefort-en-Terre	F	15	B3
Rochefort-Montagne	F	24	B2
Rochefort-sur-Nenon	F	19	B4
Rochemaure	F	31	A3
Rocheservière	F	22	B2
Rockenhausen	D	13	B3
Rocroi	F	11	B4
Roda de Bara	E	37	C2
Roda de Ter	E	37	C3
Rodalben	D	13	B3
Roden	NL	3	A3
Rödermark	D	13	B4
Rodez	F	30	A1
Rodoñá	E	37	C2
Roermond	NL	6	A1
Roesbrugge	B	4	A2
Roeschwoog	F	13	C4
Roeselare	B	4	A3
Roetgen	D	6	B2
Roffiac	F	24	B3
Rogliano	I	38	A2
Rognes	F	31	B4
Rogny-les-7-Ecluses	F	17	B4
Rohan	F	15	A3
Rohrbach-lès-Bitche	F	12	B3
Roisel	F	10	B3
Rolampont	F	19	B4
Rolde	NL	3	B3
Rolle	CH	19	C5
Romagnano Sésia	I	27	B5
Romagné	F	8	B2
Romanèche-Thorins	F	25	A4
Romans-sur-Isère	F	26	B2
Romanshorn	D	21	B4
Rombas	F	12	B2
Romenay	F	19	C4
Romilly-sur-Seine	F	11	C3
Romont	CH	20	C1
Romorantin-Lanthenay	F	17	B3
Romrod	D	7	B5
Roncal	E	34	B2
Ronce-les-Bains	F	22	C2
Ronchamp	F	20	B1
Ronco Canavese	I	27	B4
Ronse	B	5	B3
Roosendaal	NL	5	A4
Roquebilière	F	33	A3
Roquebrun	F	30	B2
Roquecourbe	F	30	B1
Roquefort	F	28	B2
Roquemaure	F	31	A3
Roquesteron	F	32	B3
Roquevaire	F	32	B1
Rorschach	CH	21	B4
Rosans	F	32	A1
Rosbach	D	7	B4
Roscoff	F	14	A2
Rosel	GB	8	A1
Rosenfeld	D	13	C4
Rosenthal	D	7	A5
Roses	E	37	B4
Rosheim	F	13	C3
Rosières-en-Santerre	F	10	B2
Rosoy	F	18	A2
Rosporden	F	14	B2
Rosrath	D	6	B3
Rossiglione	I	33	A4
Rossignol	B	12	B1
Rostrenen	F	14	A2
Roth, Rheinland-Pfalz	F	7	B3
Rothéneuf	F	8	B2
Rottenburg, Baden-Württemberg	D	13	C4
Rotterdam	NL	5	A4
Rottweil	D	21	A3
Roubaix	F	4	A3
Roudouallec	F	14	A2
Rouen	F	9	A5
Rouffach	F	20	B2
Rougé	F	15	B4
Rougemont	F	19	B5
Rougemont le-Château	F	20	B1
Rouillac	F	23	C3
Rouillé	F	23	B4
Roujan	F	30	B2
Roulans	F	19	B5
Roussac	F	23	B5
Roussennac	F	30	A1
Rousses	F	30	A2
Roussillon	F	25	B4
Rouvroy-sur-Audry	F	11	B4
Rouy	F	18	B2
Royan	F	22	C2
Royat	F	24	B3
Roybon	F	26	B2
Roye	F	10	B2
Royère-de-Vassivière	F	24	B1
Rozay-en-Brie	F	10	C2
Rozoy-sur-Serre	F	11	B4
Rubi	E	37	C3
Ruddervorde	B	4	A3
Rüdesheim	D	13	B3
Rue	F	10	A1
Ruelle-sur-Touvre	F	23	C4
Ruffec	F	23	B4
Rugles	F	9	B4
Ruhle	D	3	B4
Ruillé-sur-le-Loir	F	16	B2
Ruinen	NL	3	B3
Ruiselede	B	4	A3
Rülles	B	12	B1
Rülzheim	D	13	B4
Rumigny	F	11	B4
Rumilly	F	26	B2
Rumont	F	11	C4
Ruoms	F	31	A3
Ruppichteroth	D	6	B3
Rupt-sur-Moselle	F	20	B1
Rüsselsheim	D	13	B4
Rustrel	F	31	B4
Rüti	CH	21	B3
Ruurlo	NL	3	B3
Ruynes-en-Margeride	F	24	C3

S

Name	Country	Page	Grid
Saales	F	12	C3
Saanen	CH	20	C2
Saarbrücken	D	12	B2
Saarburg	D	12	B2
Saarlouis	D	12	B2
Saas-Fee	CH	27	A4
Sabadell	E	37	C3
Sabiñánigo	E	35	B3
Sablé-sur-Sarthe	F	16	B1
Sables-d'Or-les-Pins	F	15	A3
Sabres	F	28	B2
Sádaba	E	34	B2
Sadernes	E	37	B3
Saerbeck	D	3	B4
Saeul	L	12	B1
S'Agaro	E	37	C4
Sagone	F	38	A1
Sagy	F	19	C4
Saignelégier	CH	20	B1
Saignes	F	24	B2
Saillagouse	F	36	B3
Saillans	F	26	C2
Sains	F	11	B3
St. Affrique	F	30	B1
St. Agnan	F	18	C2
St. Agnant	F	22	C3
St. Agrève	F	25	B4
St. Aignan	F	17	B3
St. Aignan-sur-Roë	F	15	B4
St. Alban-sur-Limagnole	F	24	C3
St. Amand-en-Puisaye	F	18	B2
St. Amand-les-Eaux	F	4	A3
St. Amand-Longpré	F	17	B3
St. Amand-Montrond	F	17	C4
St. Amans	E	25	C3
St. Amans-Soult	F	30	B1
St. Amant-Roche-Savine	F	25	B3
St. Amarin	F	20	B1
St. Ambroix	F	31	A3
St. Amé	F	20	B1
St. Amour	F	26	A2
St. André-de-Corcy	F	25	B4
St. André-de-Cubzac	F	28	B2
St. André-de-l'Eure	F	9	B5
St. André-de-Roquepertuis	F	31	A3
St. André-de-Sangonis	F	30	B2
St. André-de-Valborgne	F	30	A2
St. André-les-Alpes	F	32	B2
St. Angel	F	24	B2
St. Antoine	F	38	A2
St. Antoine-de-Ficalba	F	29	B3
St. Antônien	CH	21	C4
St. Antonin-Noble-Val	F	29	B4
St. Août	F	17	C3
St. Amant-Tallende	F	24	B3
St. Arnoult	F	10	C1
St. Astier	F	29	A3
St. Auban	F	32	B2
St. Aubin	CH	20	C1
St. Aubin	F	19	B4
St. Aubin	GB	8	A1
St. Aubin-d'Aubigné	F	15	A4
St. Aubin-du-Cormier	F	15	A4
St. Aubin-sur-Aire	F	12	C1
St. Aubin-sur-Mer	F	9	A3
St. Aulaye	F	28	A3
St. Avit	F	24	B2
St. Avold	F	12	B2
St. Aygulf	F	32	B2
St. Bauzille-de-Putois	F	30	B2
St. Béat	F	35	B4
St. Beauzély	F	30	A1
St. Benim-d'Azy	F	18	C2
St. Benoît-du-Sault	F	23	B5
St. Benoit-en-Woëvre	F	12	C1
St. Berthevin	F	16	A1
St. Blaise-la-Roche	F	12	C3
St. Blin	F	12	C1
St. Bonnet	F	26	C3
St. Bonnet Briance	F	23	C5
St. Bonnet-de-Joux	F	18	C3
St. Bonnet-le-Château	F	25	B4
St. Bonnet-le-Froid	F	25	B4
St. Brévin-les-Pins	F	15	B3
St. Briac-sur-Mer	F	15	A3
St. Brice-en-Coglès	F	8	B2
St. Brieuc	F	15	A3
St. Bris-le-Vineux	F	18	B2
St. Broladre	F	8	B2
St. Calais	F	16	B2
St. Cannat	F	31	B4
St. Cast-le-Guildo	F	15	A3
St. Céré	F	29	B4
St. Cergue	CH	26	A3
St. Cergues	F	26	A3
St. Cernin	F	24	B2
St. Chamant	F	24	B1
St. Chamas	F	31	B4
St. Chamond	F	25	B4
St. Chély-d'Apcher	F	24	C3
St. Chély-d'Aubrac	F	24	C2
St. Chinian	F	30	B1
St. Christol	F	31	B4
St. Christol-lès-Alès	F	31	A3
St. Christoly-Médoc	F	22	C3
St. Christophe-du-Ligneron	F	22	B2
St. Christophe-en-Brionnais	F	25	A4
St. Ciers-sur-Gironde	F	28	A2
St. Clair-sur-Epte	F	10	B1
St. Cloud	F	10	C2
St. Claude	F	26	A2
St. Come-d'Olt	F	30	A1
St. Cosme-en-Vairais	F	9	B4
St. Cyprien, Dordogne	F	29	B4
St. Cyprien, Pyrénées-Orientales	F	36	B4
St. Cyr-sur-Loire	F	16	B2
St. Cyr-sur-Mer	F	32	B1
St. Cyr-sur-Méthon	F	25	A4
St. Denis-d'Oléron	F	22	B2
St. Denis d'Orques	F	16	A1
St. Didier	F	25	A4
St. Didier-en-Velay	F	25	B4
St. Dié	F	12	C2
St. Dier-d'Auvergne	F	25	B3
St. Dizier	F	11	C4
St. Dizier-Leyrenne	F	24	A1
St. Efflam	F	14	A1
St. Éloy-les-Mines	F	24	A2
St. Emiland	F	18	C3
St. Émilion	F	28	B2
St. Esteben	F	34	A2
St. Estèphe	F	28	A2
St. Étienne	F	25	B4
St. Étienne-de-Baigorry	F	34	A2
St. Étienne-de-Cuines	F	26	B3
St. Étienne-de-Fursac	F	24	A1
St. Etienne-de-Montluc	F	15	B4
St. Etienne-de-St.-Geoirs	F	26	B2
St. Etienne-de-Tinée	F	32	A2
St. Etienne-du-Bois	F	26	A2
St. Etienne-du-Rouvray	F	9	A5
St. Etienne-les-Orgues	F	32	A1
St. Fargeau	F	18	B2
St. Félicien	F	25	B4
St. Felix-de-Sorgues	F	30	B1
St. Felix-Lauragais	F	36	A2
St. Firmin	F	26	C3
St. Florent	F	38	A2
St. Florent-le-Vieil	F	15	B4
St. Florent-sur-Cher	F	17	C4
St. Florentin	F	18	B2
St. Flour	F	24	B3
St. Flovier	F	17	C3
St. Fort-sur-le-Né	F	23	C3
St. Fulgent	F	22	B2
St. Galmier	F	25	B4
St. Gaudens	F	35	A4
St. Gaultier	F	23	B5
St. Gély-du-Fesc	F	30	B2
St. Genest-Malifaux	F	25	B4
St. Gengoux-le-National	F	18	C3
St. Geniez	F	32	A2
St. Geniez-d'Olt	F	30	A1
St. Genis-de-Saintonge	F	22	C3
St. Genis-Pouilly	F	26	A3
St. Genix-sur-Guiers	F	26	B2
St. Georges Buttavent	F	8	B3
St. Georges-d'Aurac	F	25	B3
St. Georges-de-Commiers	F	26	B2
St. Georges-de-Didonne	F	22	C3
St. Georges-de-Luzençon	F	30	A1
St. Georges-de-Mons	F	24	B2
St. Georges-de-Reneins	F	25	A4
St. Georges-d'Oléron	F	22	C2
St. Georges-en-Couzan	F	25	B3
St. Georges-lès-Baillargeaux	F	23	B4
St. Georges-sur-Loire	F	16	B1
St. Georges-sur-Meuse	B	5	B5
St. Geours-de-Maremne	F	28	C1
St. Gérand-de-Vaux	F	25	A3
St. Gérand-le-Puy	F	25	A3
St. Germain	F	19	B5
St. Germain-Chassenay	F	18	C2
St. Germain-de-Calberte	F	30	A2
St. Germain-de-Confolens	F	23	B4
St. Germain-de-Joux	F	26	A2
St. Germain-des-Fossés	F	25	A3
St. Germain-du-Bois	F	19	C4
St. Germain-du-Plain	F	19	C3
St. Germain-du-Puy	F	17	B4
St. Germain-en-Laye	F	10	C2
St. Germain-Laval	F	25	B4
St. Germain-Lembron	F	24	B3
St. Germain-les-Belles	F	24	B1
St. Germain-Lespinasse	F	25	A3
St. Germain-l'Herm	F	25	B3
St. Gervais-d'Auvergne	F	24	A2
St. Gervais-les-Bains	F	27	B3
St. Gervais-sur-Mare	F	30	B2
St. Gildas-de-Bois	F	14	B3
St. Gildas-des-Bois	F	15	B3
St. Gilles, Gard	F	31	B3
St. Gilles, Ille-et-Vilaine	F	15	A3
St. Gilles-Croix-de-Vie	F	22	B2
St. Gingolph	F	27	A3
St. Girons, Ariège	F	36	B2
St. Girons, Landes	F	28	C1
St. Girons-Plage	F	28	C1
St. Gobain	F	11	B3
St. Gorgon-Main	F	19	B5
St. Guénolé	F	14	B1

Place	Country	Page	Grid
St. Helier	GB	8	A1
St. Herblain	F	15	B4
St. Hilaire, *Allier*	F	18	C2
St. Hilaire, *Aude*	F	36	A3
St. Hilaire-de-Riez	F	22	B2
St. Hilaire-de-Villefranche	F	22	C3
St. Hilaire-des-Loges	F	22	B3
St. Hilaire-du-Harcouët	F	8	B2
St. Hilaire-du-Rosier	F	26	B2
St. Hippolyte, *Aveyron*	F	24	C2
St. Hippolyte, *Doubs*	F	20	B1
St. Hippolyte-du-Fort	F	30	B2
St. Honoré-les-Bains	F	18	C2
St. Hubert	B	12	A1
St. Irnier	CH	20	B2
St. Izaire	F	30	B1
St. Jacques-de-la-Lande	F	15	A4
St. Jacut-de-la-Mer	F	8	B2
St. James	F	8	B2
St. Jean-Brévelay	F	15	B3
St. Jean-d'Angély	F	22	C3
St. Jean-de-Belleville	F	26	B3
St. Jean-de-Bournay	F	26	B2
St. Jean-de-Braye	F	17	B3
St. Jean-de-Côle	F	23	C4
St. Jean-de-Daye	F	8	A2
St. Jean de Losne	F	19	B4
St. Jean-de-Luz	F	34	A2
St. Jean-de-Maurienne	F	26	B3
St. Jean-de-Monts	F	22	B1
St. Jean-d'Illac	F	28	B2
St. Jean-du-Bruel	F	30	A2
St. Jean-du-Gard	F	31	A2
St. Jean-en-Royans	F	26	B2
St. Jean-la-Riviere	F	33	B3
St. Jean-Pied-de-Port	F	34	A2
St. Jean-Poutge	F	29	C3
St. Jeoire	F	26	A3
St. Joachim	F	15	B3
St. Jorioz	F	26	B3
St. Joris Winge	B	5	B4
St. Jouin-de-Marnes	F	16	C1
St. Juéry	F	30	B1
St. Julien	F	26	A2
St. Julien-Chapteuil	F	25	B4
St. Julien-de-Vouvantes	F	15	B4
St. Julien-du-Sault	F	18	A2
St. Julien-du-Verdon	F	32	B2
St. Julien-en-Born	F	28	B1
St. Julien-en-Genevois	F	26	A3
St. Julien la-Vêtre	F	25	B3
St. Julien-l'Ars	F	23	B4
St. Julien-Mont-Denis	F	26	B3
St. Julien-sur-Reyssouze	F	26	A2
St. Junien	F	23	C4
St. Just	F	31	A3
St. Just-en-Chaussée	F	10	B2
St. Just-en-Chevalet	F	25	B3
St. Just-St. Rambert	F	25	B4
St. Justin	F	28	C2
St. Lary-Soulan	F	35	B4
St. Laurent-d'Aigouze	F	31	B3
St. Laurent-de-Chamousset	F	25	B4
St. Laurent-de-Condel	F	9	A3
St. Laurent-de-la-Cabrerisse	F	36	A3
St. Laurent-de-la-Salanque	F	36	B3
St. Laurent-des-Autels	F	15	B4
St. Laurent-du-Pont	F	26	B2
St. Laurent-en-Caux	F	9	A4
St. Laurent-en-Grandvaux	F	19	C4
St. Laurent-Médoc	F	28	A2
St. Laurent-sur-Gorre	F	23	C4
St. Laurent-sur-Mer	F	8	A3
St. Laurent-sur-Sèvre	F	22	B3
St. Leger	B	12	B1
St. Léger-des-Vignes	F	18	C2
St. Léger-sous-Beuvray	F	18	C3
St. Léger-sur-Dheune	F	18	C3
St. Léonard-de-Noblat	F	24	B1
St. Lô	F	8	A2
St. Lon-les-Mines	F	28	C1
St. Louis	F	20	B2
St. Loup	F	25	A3
St. Loup-de-la-Salle	F	19	C3
St. Loup-sur-Semouse	F	19	B5
St. Lunaire	F	15	A3
St. Lupicin	F	26	A2
St. Lyphard	F	15	B3
St. Lys	F	36	A2
St. Macaire	F	28	B2
St. Maclou	F	9	A4
St. Maixent-l'École	F	23	B3
St. Malo	F	8	B1
St. Mamet-la-Salvetat	F	24	C2
St. Mandrier-sur-Mer	F	32	B1
St. Marcel, *Drôme*	F	25	C4
St. Marcel, *Saône-et-Loire*	F	19	C3
St. Marcellin	F	26	B2
St. Marcellin sur Loire	F	25	B4
St. Marcet	F	35	A4
St. Mards-en-Othe	F	18	A2
St. Mars-la-Jaille	F	15	B4
St. Martin-d'Ablois	F	11	C3
St. Martin-d'Auxigny	F	17	B4
St. Martin-de-Belleville	F	26	B3
St. Martin-de-Bossenay	F	11	C3
St. Martin-de-Crau	F	31	B3
St. Martin-de-Londres	F	30	B2
St. Martin-de-Queyrières	F	26	C3
St. Martin-de-Ré	F	22	B2
St. Martin-de-Valamas	F	25	C4
St. Martin-d'Entraunes	F	32	A2
St. Martin des Besaces	F	8	A3
St. Martin-d'Estreaux	F	25	A3
St. Martin-d'Hères	F	26	B2
St. Martin-du-Frêne	F	26	A2
St. Martin-en-Bresse	F	19	C4
St. Martin-en-Haut	F	25	B4
St. Martin-la-Méanne	F	24	B1
St. Martin-sur-Ouanne	F	18	B2
St. Martin-Valmeroux	F	24	B2
St. Martin-Vésubie	CH	33	B3
St. Martory	F	35	A4
St. Mathieu	F	23	C4
St. Mathieu-de-Tréviers	F	31	B2
St. Maurice	CH	27	A3
St. Maurice-Navacelles	F	30	B2
St. Maurice-sur-Moselle	F	20	B1
St. Maximin-la-Ste. Baume	F	32	B1
St. Médard-de-Gurçon	F	28	B3
St. Médard-de-Guizières	F	28	A2
St. Médard-en-Jalles	F	28	B2
St. Méen-le-Grand	F	15	A3
St. Menges	F	11	B4
St. M'Hervé	F	15	A4
St. Michel, *Aisne*	F	11	B4
St. Michel, *Gers*	F	35	A4
St. Michel-Chef-Chef	F	15	B3
St. Michel-de-Castelnau	F	28	B2
St. Michel-de-Maurienne	F	26	B3
St. Michel-en-Grève	F	14	A2
St. Michel-en-l'Herm	F	22	B2
St. Michel-Mont-Mercure	F	22	B3
St. Miiel	F	12	C1
St. Montant	F	31	A3
St. Moritz	CH	21	C4
St. Nazaire	F	15	B3
St. Nazaire-en-Royans	F	26	B2
St. Nazaire-le-Désert	F	26	C2
St. Nectaire	F	24	B2
St. Nicolas-de-Port	F	12	C2
St. Nicolas-du-Pélem	F	14	A2
St. Niklaas	B	5	A4
St. Omer	F	4	B2
St. Pair-sur-Mer	F	8	B2
St. Palais	F	34	A2
St. Palais-sur-Mer	F	22	C2
St. Pardoux-la-Rivière	F	23	C4
St. Paul-Cap-de-Joux	F	29	C4
St. Paul-de-Fenouillet	F	36	B3
St. Paul-de-Varax	F	26	A2
St. Paul-le-Jeune	F	31	A3
St. Paul-lès-Dax	F	28	C1
St. Paul-Trois-Châteaux	F	31	A3
St. Paulien	F	25	B3
St. Pé-de-Bigorre	F	35	A3
St. Pée-sur-Nivelle	F	34	A2
St. Péravy-la-Colombe	F	17	B3
St. Péray	F	25	C4
St. Père-en-Retz	F	15	B3
St. Peter Port	GB	8	A1
St. Philbert-de-Grand-Lieu	F	22	A2
St. Pierre	F	30	B1
St. Pierre d'Albigny	F	26	B3
St. Pierre-d'Allevard	F	26	B3
St. Pierre-de-Chartreuse	F	26	B2
St. Pierre-de-Chignac	F	29	A3
St. Pierre-de-la-Fage	F	30	B2
St. Pierre-d'Entremont	F	26	B2
St. Pierre-d'Oléron	F	22	C2
St. Pierre-Eglise	F	8	A2
St. Pierre-en-Port	F	9	A4
St. Pierre-le-Moûtier	F	18	C2
St. Pierre Montlimart	F	15	B4
St. Pierre-Quiberon	F	14	B2
St. Pierre-sur-Dives	F	9	A3
St. Pierreville	F	25	C4
St. Pieters-Leeuw	B	5	B4
St. Plancard	F	35	A4
St. Poix	F	15	B4
St. Pol-de-Léon	F	14	A2
St. Pol-sur-Ternoise	F	4	B2
St. Polgues	F	25	B3
St. Pons-de-Thomières	F	30	B1
St. Porchaire	F	22	C3
St. Pourçain-sur-Sioule	F	24	A3
St. Priest	F	25	B4
St. Privat	F	24	B2
St. Quay-Portrieux	F	14	A3
St. Quentin	F	10	B3
St. Quentin-la-Poterie	F	31	A3
St. Quentin-les-Anges	F	16	B1
St. Rambert-d'Albon	F	25	B4
St. Rambert-en-Bugey	F	26	B2
St. Raphaël	F	32	B2
St. Rémy-de-Provence	F	31	B3
St. Rémy-du-Val	F	9	B4
St. Remy-en-Bouzemont	F	11	C4
St. Renan	F	14	A1
St. Révérien	F	18	B2
St. Riquier	F	10	A1
St. Romain-de-Colbosc	F	9	A4
St. Rome-de-Cernon	F	30	A1
St. Rome-de-Tarn	F	30	A1
St. Sadurni d'Anoia	F	37	C2
St. Saëns	F	9	A5
St. Sampson	GB	8	A1
St. Samson-la-Poterie	F	10	B1
St. Saturnin-de-Lenne	F	30	A2
St. Saturnin-lès-Apt	F	31	B4
St. Sauflieu	F	10	B2
St. Saulge	F	18	B2
St. Sauveur, *Finistère*	F	14	A2
St. Sauveur, *Haute-Saône*	F	19	B5
St. Sauveur-de-Montagut	F	25	C4
St. Sauveur-en-Puisaye	F	18	B2
St. Sauveur-en-Rue	F	25	B4
St. Sauveur-Lendelin	F	8	A2
St. Sauveur-sur-Tinée	F	33	A3
St. Savin, *Gironde*	F	28	A2
St. Savin, *Vienne*	F	23	B4
St. Savinien	F	22	C3
St. Savournin	F	31	B4
St. Seine-l'Abbaye	F	19	B3
St. Sernin-sur-Rance	F	30	B1
St. Sevan-sur-Mer	F	8	B1
St. Sever	F	28	C2
St. Sever-Calvados	F	8	B2
St. Sorlin-d'Arves	F	26	B3
St. Soupplets	F	10	B2
St. Sulpice	F	29	C4
St. Sulpice-Laurière	F	24	A1
St. Sulpice-les-Feuilles	F	23	B5
St. Symphorien	F	28	B2
St. Symphorien-de-Lay	F	25	B4
St. Symphorien d'Ozon	F	25	B4
St. Symphorien-sur-Coise	F	25	B4
St. Thégonnec	F	14	A2
St. Thiébault	F	19	A4
St. Trivier-de-Courtes	F	26	A2
St. Trivier sur-Moignans	F	25	A4
St. Trojan-les-Bains	F	22	C2
St. Tropez	F	32	B2
St. Truiden	B	5	B5
St. Vaast-la-Hougue	F	8	A2
St. Valérien	F	18	A2
St. Valery-en-Caux	F	9	A4
St. Valery-sur-Somme	F	4	B1
St. Vallier, *Drôme*	F	25	B4
St. Vallier, *Saône-et-Loire*	F	18	C3
St. Vallier-de-Thiey	F	32	B2
St. Varent	F	16	C1
St. Vaury	F	24	A1
St. Venant	F	4	B2
St. Véran	F	27	C3
St. Vincent	F	27	B4
St. Vincent-de-Tyrosse	F	28	C1
St. Vit	F	19	B4
St. Vith	B	6	B2
St. Vivien-de-Médoc	F	22	C2
St. Yan	F	25	A4
St. Ybars	F	36	A2
St. Yorre	F	25	A3
St. Yrieix-la-Perche	F	23	C5
Ste. Adresse	F	9	A4
Ste. Anne	F	35	A3
Ste. Anne-d'Auray	CH	14	A2
Ste. Croix	CH	19	C5
Ste. Croix-Volvestre	F	36	A2
Ste. Engrâce	F	34	A3
Ste. Enimie	F	30	A2
Ste. Foy-de-Peyrolières	F	36	A2
Ste. Foy-la-Grande	F	28	B3
Ste. Foy l'Argentiere	F	25	B4
Ste. Gauburge-Ste. Colombe	F	9	B4
Ste. Gemme la Plaine	F	22	B2
Ste. Geneviève	F	10	B2
Ste. Hélène	F	28	B2
Ste. Hélène-sur-Isère	F	26	B3
Ste. Hermine	F	22	B2
Ste. Jalle	F	31	A4
Ste. Livrade-sur-Lot	F	29	B3
Ste. Marie-aux-Mines	F	20	A2
Ste. Marie-du-Mont	F	8	A2
Ste. Maure-de-Touraine	F	16	B2
Ste. Maxime	F	32	B2
Ste. Ménéhould	F	11	B4
Ste. Mère-Eglise	F	8	A2
Ste. Ode	B	12	A1
Ste. Savine	F	11	C4
Ste. Sévère-sur-Indre	F	17	C4
Ste. Sigolène	F	25	B4
Ste. Suzanne	F	16	A1
Ste. Tulle	F	32	B1
Sainteny	F	8	A2
Saintes	F	22	C3
Stes. Maries-de-la-Mer	F	31	B3
Saissac	F	36	A3
Salardú	E	35	B4
Salau	F	35	B4
Salavaux	CH	20	C2
Salbertrand	I	27	B3
Salem	D	21	B4
Salernes	F	32	B2
Salers	F	24	B2
Salies-de-Béarn	F	34	A3
Salies-du-Salat	F	35	A4
Salignac-Eyvigues	F	29	B4
Saligney-sur-Roudon	F	18	A3
Salinas, *Huesca*	E	35	B3
Salindres	F	31	A3
Salins-les-Bains	F	19	C4
Sallanches	F	26	B3
Sallent	E	37	C2
Sallent de Gállego	E	35	B3
Salles	F	28	B2
Salles-Curan	F	30	A1
Salles-sur-l'Hers	F	36	A2
Salmiech	F	30	A1
Salon-de-Provence	F	31	B4
Salornay-sur-Guye	F	18	C3
Salou	E	37	C2
Salses-le-Chateau	F	36	B3
Salt	E	37	C3
Salussola	I	27	B5
Saluzzo	I	27	C4
Salvagnac	F	29	C4
Salviac	F	29	B4
Salzkotten	D	7	A4
Salzwedel	D	28	C2
Samadet	F	28	C2
Samatan	F	36	A1
Samedan	CH	21	C4
Samer	F	4	B1
Samnaun	CH	21	C5
Samoëns	F	26	A3
Samognex	F	12	B1
Sampéyre	I	33	A3
Sampigny	F	12	C1
San Adrián	E	34	B2
San Carlo	B	5	B5
San Damiano d'Asti	I	27	C5
San Damiano Macra	I	33	A3
San German Vercellese	I	27	B5
San Lorenzo al Mare	I	33	B3
San Martin de Unx	E	34	B2
San-Martino-di-Lota	F	38	A2
San Mateo de Gallego	E	34	C3
San Michele Mondovì	I	33	A3
San Remo	I	33	B3
San Vicente de Arana	E	34	B1
Sanary-sur-Mer	F	32	B1
Sancergues	F	18	B1
Sancerre	F	17	B4
Sancey-le-Long	F	19	B5
Sancoins	F	18	C1
Sande	D	3	A5
Sandhorst	D	3	A4
Sandillon	F	17	B4
Sangatte	F	4	B1
Sanguesa	E	34	B2
Sanguinet	F	28	B1
Sankt Anton am Arlberg	A	21	B5
Sankt Augustin	D	6	B3
Sankt Blasien	D	20	B3
Sankt Gallen	CH	21	B4
Sankt Gallenkirch	A	21	B4
Sankt Georgen	D	20	A3
Sankt Goar	D	7	B3
Sankt Goarshausen	D	7	B3
Sankt Ingbert	D	12	B3
Sankt Margrethen	CH	21	B4
Sankt Niklaus	CH	27	A4
Sankt Paul	F	32	A2
Sankt Wendel	D	12	B3
Sant Agustí de Lluçanès	E	37	B3
Sant Antoni de Calonge	E	37	C4
Sant Boi de Llobregat	E	37	C3
Sant Feliu	E	37	C3
Sant Feliu de Codines	E	37	C3
Sant Feliu Sasserra	E	37	C3
Sant Hilari Sacalm	E	37	C3
Sant Hipòlit de Voltregà	E	37	C3
Sant Jaume dels Domenys	E	37	C2
Sant Joan de les Abadesses	E	37	B3
Sant Julià de Loria	AND	36	B2
Sant Llorenç de Morunys	E	37	B2
Sant Llorenç Savall	E	37	C3
Sant Marti de Llemaná	E	37	B3
Sant Marti de Maldá	E	37	C2
Sant Mateu	E	37	C2
Sant Pau de Seguries	E	37	B3
Sant Pere de Riudebitles	E	37	C2
Sant Pere Pescador	E	37	B4
Sant Pere	E	37	C2
Sant Quirze de Besora	E	37	B3
Sant Ramon	E	37	C2
Sant Vicenç de Castellet	E	37	C2
Santa Coloma de Farners	E	37	C3
Santa Coloma de Gramenet	E	37	C3
Santa Coloma de Queralt	E	37	C2
Santa Lucia-de-Porto-Vecchio	F	38	B2
Santa Margaridao de Montbui	E	37	C2
Santa Maria	E	34	B3
Santa Maria de Corco	E	37	B3
Santa Maria Maggiore	I	27	A5
Santa Pau	E	37	B3
Santa Severa	F	38	A2
Santacara	E	34	B2
Santhià	I	27	B5
Santc-Pietro-di Tenda	F	38	A2
Santpedor	E	37	C2
Saorge	F	33	B3
Saramon	E	29	C3
Sarcelles	F	10	B2
Sare	F	34	A2
Sargans	CH	21	B4
Sari-d'Orcino	F	38	A1
Sariñena	E	35	C3
Sarlat-la-Canéda	F	29	B4
Sarliac-sur-l'Isle	F	29	A3
Sarnen	CH	20	C3
Sarpoil	F	25	B3
Sarral	E	37	C2
Sarralbe	F	12	B3
Sarrancolin	F	35	B4
Sarras	F	25	B4
Sarre	I	27	B4
Sarre-Union	F	12	C3
Sarrebourg	F	12	C3
Sarreguemines	F	12	B3
Sarrià de Ter	E	37	B3
Sarron	F	28	C2
Sartène	F	38	B1
Sartilly	F	8	B2
Sarzeau	F	15	B3
Sas van Gent	NL	5	A3
Sassello	I	33	A4
Sassenberg	D	3	C5
Satillieu	F	25	B4
Sättens	A	21	B4
Saucats	F	28	B2
Saugues	F	25	C3
Saujon	F	22	C3
Saulces Monclin	F	11	B4
Saulgau	D	21	A4
Saulieu	F	18	B3
Saulnot	F	20	B1
Sault	F	31	A4
Sault-Brénaz	F	26	B2
Sault-de-Navailles	F	28	C2
Saulx	F	19	B5
Saulxures-sur-Moselotte	F	20	B1
Saulzais-le-Potier	F	17	C4
Saumos	F	28	B1
Saumur	F	16	B1
Saurat	F	36	B2
Sausset-les-Pins	F	31	B4
Sauteyrargues	F	31	B2
Sauvagnat	F	24	B2
Sauve	F	31	B2
Sauveterre-de-Béarn	F	34	A3
Sauveterre-de-Guyenne	F	28	B2
Sauviat-sur-Vige	F	24	B1
Sauxillanges	F	24	B3
Sauzé-Vaussais	F	23	B3
Sauzet, *Drôme*	F	25	C4
Sauzet, *Lot*	F	29	B4
Sauzon	F	14	B2
Savenay	F	15	B4
Saverdun	F	36	A2
Saverne	F	13	C3
Savières	F	11	C4
Savigliano	I	27	C4
Savignac-les-Eglises	F	29	A3
Savigny-sur-Braye	F	16	B2
Savines-le-lac	F	26	C3
Savognin	CH	21	C4
Savona	I	33	A4
Savournon	F	32	A1
Scaër	F	14	A2
Scey-sur-Saône et St. Albin	F	19	B4
Schaffhausen	CH	21	B3
Schagen	NL	2	B1
Schangnau	CH	20	C2
Schapbach	D	13	C4
Scharrel	D	3	A4
Scheemda	NL	3	A4
Scheidegg	D	21	B4
Scherfede	D	7	A5
Schermbeck	D	6	A2
Scherpenzeel	NL	2	B2
Scheveningen	NL	2	B1
Schiedam	NL	5	A4
Schiers	CH	21	C4
Schillingen	D	12	B2
Schiltach	D	13	C4
Schiltigheim	F	13	C3
Schlangen	D	7	A4
Schleiden	D	6	B2
Schliengen	D	20	B2

Place	Country	No.	Grid
Schlitz	D	7	B5
Schloss Neuhaus	D	7	A4
Schluchsee	D	20	B3
Schlüchtern	D	7	B5
Schmallenberg	D	7	A4
Schmelz	D	12	B2
Schoenburg	B	6	B2
Schöllkrippen	D	7	B5
Schomberg	D	21	A3
Schönau, Baden-Württemberg	D	20	B2
Schönecken-			
Schönhagen	D	6	B2
Schoondijke	D	7	A5
Schoonebeek	NL	5	A3
Schoonhoven	NL	3	B3
Schopfheim	D	20	B2
Schortens	D	3	A4
Schotten	D	7	B5
Schramberg	D	20	A3
Schrecksbach	D	7	B5
Schröcken	A	21	B5
Schruns	A	21	A5
Schüpfheim	CH	20	C3
Schüttorf	D	3	B4
Schwagstorf	D	3	B4
Schwaigern	D	13	B5
Schwalmstadt	D	7	B5
Schwanden	D	21	A5
Schwarzenburg	CH	20	C2
Schwei	D	3	A5
Schweich	D	12	B2
Schweighausen	D	20	A2
Schwelm	D	6	A3
Schwenningen	D	20	A3
Schwerte	D	7	A3
Schwetzingen	D	13	B4
Schwyz	CH	21	B3
Scionzier	F	26	A3
Scopello, Piemonte	I	27	B5
Scuol	CH	21	C5
Sebazac-Concourès	F	30	A1
Seborga	I	33	B3
Séchault	F	11	B4
Seclin	F	4	B3
Secondigny	F	22	B3
Sedan	F	11	B4
Séderon	F	31	A4
Seebach	F	13	C3
Seefeld, Niedersachsen	D	3	A5
Seeheim-Jugenheim	D	13	B4
Seelbach	D	13	C3
Sées	F	9	B4
Segonzac	F	23	C3
Segré	F	15	B5
Ségur-les-Villas	F	24	B2
Segura	E	34	B1
Seiches-sur-le-Loir	F	16	B1
Seignelay	F	18	B2
Seilhac	F	24	B1
Seilles	B	5	B5
Seissan	F	35	A4
Sélestat	F	20	A2
Selgua	E	35	C4
Seligenstadt	D	13	A4
Selles-St. Denis	F	17	B3
Selles-sur-Cher	F	17	B3
Sellières	F	19	C4
Selm	D	6	A3
Selongey	F	19	B4
Selonnet	F	32	A2
Selters	D	7	B3
Seltz	F	13	C4
Semide	F	11	B4
Semur-en-Auxois	F	18	B3
Sena	E	35	C3
Senarpont	F	10	B1
Sénas	F	31	B4
Senden, Nordrhein-Westfalen	D	6	A3
Sendenhorst	D	7	A3
Seneffe	B	5	B4
Senez	F	32	B2
Sengouagnet	F	35	B4
Sengwarden	D	3	A5
Senlis	F	10	B2
Sennecey-le-Grand	F	19	C3
Sennwald	CH	21	B4
Senonches	F	9	B5
Senones	F	12	C2
Sens	F	18	A2
Sens-de-Bretagne	F	15	A4
Senterada	E	35	B4
Seon	CH	20	B3
Sépeaux	F	18	B2
Sepey	CH	27	A4
Seppenrade	D	6	A3
Seppois	F	20	B2
Septeuil	F	10	C1
Seraincourt	F	11	B4
Seraing	B	6	B1
Sérifontaine	F	10	B1
Sérignan	F	30	B2
Sermaises	F	10	C2
Sermaize-les-Bains	F	11	C4
Serooskerke	NL	5	A3
Serravalle, Piemonte	I	27	B5
Serres	F	32	A1
Serrières	F	25	B4
Serrières-de-Briord	F	26	B2
Sertig Dörfli	CH	21	C4

Place	Country	No.	Grid
Servance	F	20	B1
Serverette	F	25	C3
Servian	F	30	B2
Serviers	F	31	A3
Sesma	E	34	B1
Sestriere	I	27	C3
Setcases	E	36	B3
Sète	F	30	B2
Séttimo Torinese	I	27	B4
Séttimo Vittone	I	27	B4
Seurre	F	19	C4
Sévérac-le-Château	F	30	A2
Sévigny	F	11	B4
Sevrier	F	26	B3
Seyches	F	29	B3
Seyne	F	32	A2
Seynes	F	31	A3
Seyssel	F	26	B2
Sézanne	F	11	C3
'sHeerenberg	NL	6	A2
Siauges-St. Romain	F	25	B3
Siddeburen	NL	3	A3
Siedlinghausen	D	7	A4
Siegburg	D	6	B3
Siegen	D	7	B4
Sierck-les-Bains	F	12	B2
Sierentz	F	20	B2
Sierra de Luna	E	34	B3
Sierre	CH	27	A4
Sietamo	E	35	B3
Sigean	F	30	B1
Sigmaringen	D	21	A4
Signes	F	32	B1
Signy-l'Abbaye	F	11	B4
Signy-le-Petit	F	11	B4
Sigogne	F	23	C3
Sigües	E	34	B2
Sillé-le-Guillaume	F	16	A1
Sillenstede	D	3	A4
Sils	E	37	C3
Silvaplana	CH	21	C4
Simandre	F	19	C3
Simard	F	19	C4
Simmerath	D	6	B2
Simmerberg	D	21	B4
Simmern	D	13	B3
Simplon	CH	27	A5
Sindelfingen	D	13	C5
Singen	D	21	B3
Sinn	D	7	B4
Sins	CH	20	B3
Sinsheim	D	13	B4
Sint Annaland	NL	5	A4
Sint Annaparochie	NL	2	A2
Sint Athonis	NL	6	A1
Sint Nicolaasga	NL	2	B2
Sint Oedenrode	NL	5	A5
Sinzheim	D	13	C4
Sinzig	D	6	B3
Sion	CH	27	A4
Siorac-en-Périgord	F	29	B3
Sissach	CH	20	B2
Sissonne	F	11	B3
Sisteron	F	32	A1
Sitges	E	37	C2
Sittard	F	6	A1
Sixt-Fer-à-Cheval	F	27	A3
Sizun	F	14	A1
Slagharen	NL	3	A3
Slochteren	NL	3	A3
Slootdorp	NL	2	B1
Sluis	NL	4	A3
Smilde	NL	3	B3
Sneek	NL	2	B2
Sobernheim	D	13	B3
Soest	D	7	A4
Soest	NL	2	B2
Sögel	D	3	B4
Sohren	D	13	B3
Soignies	B	5	B4
Soissons	F	11	B3
Solbad	D	12	B2
Soleils	F	32	B2
Solenzara	F	38	B2
Solesmes	F	5	B3
Solgne	F	12	C2
Solignac	F	23	C5
Solingen	D	6	A3
Sollies-Pont	F	32	B2
Solomiac	F	29	C3
Solothurn	CH	20	B2
Sولre-le-Château	F	5	B4
Solsona	E	37	C2
Somain	F	4	B3
Sombernon	F	18	B3
Sombreffe	B	5	B4
Someren	NL	6	A1
Sommariva del Bosco	I	27	C4
Somme-Tourbe	F	11	B4
Sommeilles	F	11	C4
Sommepy-Tahure	F	11	B4
Sommesous	F	11	C4
Sommières	F	31	B3
Sommières-du-Clain	F	23	B4
Sompuis	F	11	C4
Son en Breugel	NL	6	A1
Sonceboz	CH	20	B2
Songeons	F	10	B1
Sonsbeck	D	6	A2
Sonthofen	D	21	B5
Sore	F	28	B2
Sörenberg	CH	20	C3
Sorèze	F	30	B1
Sorges	F	23	C4
Sorgues	F	31	A3
Sornac	F	24	B2
Sort	E	36	B2

Place	Country	No.	Grid
Sos	F	28	B3
Sos del Rey Católico	E	34	B2
Sospel	F	33	B3
Sotta	F	38	B2
Souain	F	11	B4
Soual	F	36	A3
Soucy	F	18	A2
Soudron	F	11	C4
Souesmes	F	17	B4
Souffelheim	F	13	C3
Souillac	F	29	B4
Souilly	F	11	B5
Soulac-sur-Mer	F	22	C2
Soulaines-Dhuys	F	11	C4
Soulatgé	F	36	B3
Soultz-Haut-Rhin	F	20	B2
Soultz-sous-Forêts	F	13	C3
Soumagne	B	6	B1
Soumoulou	F	35	A3
Souppes-sur-Loing	F	17	A4
Souprosse	F	28	C2
Sourdeval	F	8	B3
Sournia	F	36	B3
Sours	F	10	C1
Sousceyrac	F	24	C2
Soustons	F	28	C1
Souvigny	F	18	C2
Souzay-Champigny	F	16	B1
Soyaux	F	23	C4
Spa	B	6	B1
Spaichingen	D	21	A3
Spakenburg	NL	2	B2
Speicher	D	12	B2
Speyer	D	13	B4
Spézet	F	14	A2
Spiekeroog	D	3	A4
Spiez	CH	20	C2
Spigno Monferrato	I	33	A4
Spijk	NL	3	A3
Spijkenisse	NL	5	A4
Spincourt	F	12	B1
Splügen	CH	21	C4
Spohle	D	3	A5
Spotorno	I	33	A4
Sprimont	B	6	B1
Stabroek	B	5	A4
Staden	B	4	B3
Stadskanaal	NL	3	B3
Stadtallendorf	D	7	B5
Stadtkyll	D	6	B2
Stadtlohn	D	3	C3
Stäfa	CH	21	B3
Stainville	F	11	C5
Stalden	CH	27	A4
Stans	CH	20	C3
Staphorst	NL	2	B3
Staufen	D	20	B2
Stavelot	B	6	B1
Stavenisse	NL	5	A4
Stavoren	NL	2	B2
Stechelberg	CH	20	C2
Steckborn	CH	21	B3
Stede Broek	NL	2	B2
Steeg	A	21	B5
Steenbergen	NL	5	A4
Steenvoorde	F	4	B2
Steenwijk	NL	2	B3
Steffisburg	CH	20	C2
Stein am Rhein	CH	21	B3
Steinach, Baden-Württemberg	D	20	A3
Steinau, Bayern	D	7	B5
Steinen	D	20	B2
Steinfeld	D	3	B5
Steinfurt	D	3	B4
Steinheim, Bayern	D	21	A5
Steinheim, Nordrhein-Westfalen	D	7	A5
Stekene	B	5	A4
Stellendam	NL	5	A3
Stenay	F	11	B5
Stiens	NL	2	A2
Stockach	D	21	B4
Stöckalp	CH	20	C3
Stolberg	D	6	B2
Stollhamm	D	3	A5
Stompetoren	NL	2	B1
Strackholt	D	3	A4
Straelen	D	6	A2
Strasbourg	F	13	C3
Stresa	I	27	B5
Stromberg, Nordrhein-Westfalen	D	7	A4
Stromberg, Rheinland-Pfalz	D	13	B3
Stropkova	I	27	B5
Strückklingen	D	3	A4
Stuben	A	21	B5
Stukenbrock	D	7	A4
Suchteln	D	6	A2
Sugères	F	25	B3
Suippes	F	11	B4
Sulgen	CH	21	B4
Sully-sur-Loire	F	17	B4
Sülz	D	13	C4
Sulzbach, Bayern	D	13	B6
Sulzbach, Saarland	D	12	B3
Sumiswald	CH	20	B2
Sunbilla	E	34	A2
Sundern	D	7	A4
Super Sauze	F	32	A2
Surgères	F	22	B3

Place	Country	No.	Grid
Surhuisterveen	NL	2	A3
Süria	E	37	C2
Surin	F	23	B4
Sursee	CH	20	B3
Surwold	D	3	B4
Sury-le-Comtal	F	25	B4
Susa	I	27	B4
Susch	CH	21	C5
Suze-la-Rousse	F	31	A3
Swifterbant	NL	2	B2
T			
Tafalla	E	34	B2
Tággia	I	33	B3
Tagnon	F	11	B4
Ta ilfingen	D	21	A4
Taillis	F	15	A4
Tain-l'Hermitage	F	25	B4
Talant	F	19	B3
Talizat	F	24	B3
Tallard	F	32	A2
Talloires	F	26	B3
Talmay	F	19	B4
Talmont-St. Hilaire	F	22	B2
Talmont-sur-Gironde	F	22	C3
Tamarit de Mar	E	37	C2
Tamarite de Litera	E	35	C4
Tamariu	E	37	C4
Tancarville	F	9	A4
Taninges	F	26	A3
Tannay, Ardennes	F	11	B4
Tannay, Nièvre	F	18	B2
Tanus	F	30	A1
Tapia	F	36	A2
Taradell	E	37	C3
Tarare	F	25	B4
Tarascon	F	31	B3
Tarascon-sur-Ariège	F	36	B2
Tarazona	E	34	C2
Tarbes	F	35	A4
Tardets-Sorholus	F	34	A3
Tardienta	E	35	C3
Targon	F	28	B2
Tarnos	F	28	C1
Tarragona	E	37	C2
Tàrrega	E	37	C2
Tartas	F	28	C2
Täsch	CH	27	A4
Taulé	F	14	A2
Taulignan	F	31	A3
Taunusstein	D	7	B4
Tauste	E	34	C2
Tauves	F	24	B2
Tavannes	CH	20	B2
Tavascan	E	36	B2
Tavernes	F	32	B2
Taveaux	F	19	B4
Taverny	F	10	B2
Tavistock	F	36	B2
Tecklenburg	D	3	B4
Teillay	F	15	B4
Teillet	F	30	B1
Telgte	D	7	A3
Temse	B	5	A4
Ten Boer	NL	3	A3
Tenay	F	26	B2
Tence	F	25	B4
Tende	F	33	B3
Tenneville	B	12	A1
Ter Apel	NL	3	B3
Terborg	NL	6	A2
Tergnier	F	10	B3
Terme di Valdieri	I	33	A3
Termens	E	35	C4
Termes	F	24	C3
Terneuzen	NL	5	A3
Terrassa	E	37	C3
Terrasson-la-Villedieu	F	29	A4
Tervuren	B	5	B4
Tessy-sur-Vire	F	8	B2
Teterchen	F	12	B2
Tettnang	D	21	B4
Thalfang	D	12	B2
Thalkirch	CH	21	C4
Thalwil	CH	21	B3
Thann	F	20	B2
Thaon-les-Vosges	F	19	A5
Thayngen	CH	21	B3
Theding	F	12	B2
Thénezay	F	16	C1
Thenon	F	29	A4
Therouanne	F	4	B2
Theux	B	6	B1
Thézac-les-Corbières	F	36	A3
Thèze	F	35	A3
Thiberville	F	9	A4
Thibie	F	11	C4
Thiéblemont-Farémont	F	11	C4
Thiers	F	25	B3
Thiezac	F	24	B2
Thionville	F	12	B2
Thiron-Gardais	F	9	B5
Thivars	F	10	C1
Thizy	F	25	B4
Tholen	NL	5	A4
Tholey	D	12	B3
Thônes	F	26	B3
Thonnance-lès-Joinville	F	11	C5
Thonon-les-Bains	F	26	A3
Thorame-Basse	F	32	A2
Thorame-Haute	F	32	A2
Thorens-Glières	F	26	A3

Place	Country	No.	Grid
Thorigny-sur-Oreuse	F	11	C3
Thouarcé	F	16	B1
Thouars	F	16	C1
Thueyts	F	25	C4
Thuin	B	5	B4
Thuir	F	36	B3
Thun	CH	20	C2
Thuret	F	24	B3
Thurey	F	19	C4
Thüringen	A	21	B4
Thurins	F	25	B4
Thury-Harcourt	F	9	B3
Thusis	CH	21	C4
Tiefencastel	CH	21	C4
Tiel	NL	5	A5
Tielt	B	4	A3
Tienen	B	5	B4
Tiengen	D	20	B3
Tiercé	F	16	B1
Tiermas	E	34	B2
Tierrantona	E	35	B4
Tignes	F	27	B3
Tigy	F	17	B4
Tijnje	NL	2	A2
Til Châtel	F	19	B4
Tilburg	NL	5	A5
Tilh	F	28	C2
Tillac	F	35	A4
Tille	F	10	B2
Tilloy Bellay	F	11	B4
Tilly	F	23	B5
Tilly-sur-Seulles	F	8	A3
Tinchebray	F	8	B3
Tincques	F	4	B2
Tinlot	B	5	B5
Tinténiac	F	15	A4
Tintigny	B	12	B1
Titisee-Neustadt	D	20	B3
Titz	D	6	A2
Tocane-St. Apre	F	29	A3
Todtmoos	D	20	B2
Todtnau	D	20	B2
Tolosa	E	34	A1
Tolva	E	35	B4
Tombeboeuf	F	29	B3
Tona	E	37	C3
Tongeren	B	5	B5
Tønsvorst	D	6	A2
Tonnay-Boutonne	F	22	C3
Tonnay-Charente	F	22	C3
Tonneins	F	29	B3
Tonnerre	F	18	B2
Tony-le-Petit	F	9	B5
Tordera	E	37	C3
Torelló	E	37	B3
Torfou	F	22	A3
Torhout	B	4	A3
Torigni-sur-Vire	F	8	A3
Torino = Turin	I	27	B4
Toro	E	38	B3
Torre la Ribera	E	35	B4
Torre Péllice	I	27	C4
Torredembarra	E	37	C2
Torregrosa	E	37	C1
Torroella de Montgrí	E	37	B4
Tossa de Mar	E	37	C3
Tosse	F	28	C1
Tôtes	F	9	A5
Toucy	F	18	B2
Toul	F	12	C1
Toulon	F	32	B1
Toulon-sur-Allier	F	18	C2
Toulon-sur-Arroux	F	18	C3
Toulouse	F	29	C4
Tour de la Parata	F	38	B1
Tourcoing	F	4	B3
Tourlaville	F	8	A2
Tournai	B	4	B3
Tournan-en-Brie	F	10	C2
Tournay	F	35	A4
Tournon-d'Agenais	F	29	B3
Tournon-St. Martin	F	23	B4
Tournon-sur-Rhône	F	25	B4
Tournus	F	19	C3
Tourouvre	F	9	B4
Tourriers	F	23	C4
Tours	F	16	B2
Tourteron	F	11	B4
Tourves	F	32	B1
Toury	F	17	A3
Touvois	F	22	B2
Traben-Trarbach	D	12	B3
Tramacastilla de Tena	E	35	B3
Tramelan	CH	20	B2
Trampot	F	12	C1
Trana	I	27	B4
Trans-en-Provence	F	32	B2
Trappes	F	10	C2
Travo	F	38	B2
Treban	F	18	C3
Trébeurden	F	14	A2
Trebujena	E	14	A2
Trégastel-Plage	F	14	A2
Tréguier	F	14	A2
Trégunc	F	14	B1
Treignac	F	24	B1
Treignat	F	24	A2

Place	Country	No.	Grid
Tremblay-le-Vicomte	F	9	B5
Tremp	E	35	B4
Trendelburg	D	7	A5
Trensacq	F	28	B2
Trept	F	26	B2
Trets	F	32	B1
Trévoux	F	25	B4
Treysa	D	7	B5
Trézelles	F	25	A3
Triaize	F	22	B2
Triaucourt-en-Argonne	F	11	C5
Triberg	D	20	A3
Trie-sur-Baïse	F	35	A4
Trier	D	12	B2
Trignac	F	15	B3
Trilport	F	10	C2
Trino	I	27	B5
Triora	I	33	B3
Triste	E	34	B3
Trivero	I	27	B5
Troarn	F	9	A3
Trois-Ponts	B	6	B1
Troisdorf	D	6	B3
Troisvierges	L	12	A2
Tronget	F	24	A3
Tronzano-Vercellese	I	27	B5
Tróo	F	16	B2
Trosly-Breuil	F	10	B3
Trossingen	D	21	A3
Trouville-sur-Mer	F	9	A4
Troyes	F	18	A3
Trun	CH	21	C3
Trun	F	9	B4
Tschagguns	A	21	B4
Tubbergen	NL	3	B3
Tübingen	D	13	C5
Tubize	B	5	B4
Tuchan	F	36	B3
Tudela	E	34	B2
Tuffé	F	16	A2
Tulette	F	31	A3
Tulle	F	24	B1
Tullins	F	26	B2
Turbenthal	CH	21	B3
Turckheim	F	20	A2
Turin = Torino	I	27	B4
Turnhout	B	5	A4
Turries	F	32	A2
Turtmann	CH	27	A4
Tuttlingen	D	21	B3
Twello	NL	3	B3
Twist	D	3	B4
Tzummarum	NL	2	A2
U			
Überlingen	D	21	B4
Uchaud	F	31	B3
Uckerath	D	6	B3
Uden	NL	6	A1
Uelsen	D	3	B3
Uetendorf	CH	20	C2
Ugine	F	26	B3
Uitgeest	NL	2	B1
Uithoorn	NL	2	B1
Uithuizen	NL	3	A3
Uithuizermeeden	NL	3	A3
Ujué	E	34	B2
Uldemolins	E	37	C1
Ulmen	D	6	B2
Ulrichstein	D	7	B5
Ulrum	NL	3	A3
Uncastillo	E	34	B2
Unkel	D	6	B3
Unna	D	7	A3
Unterägeri	CH	21	B3
Unteriberg	CH	21	B3
Unterschächen	CH	21	C3
Ur	F	36	B2
Urçay	F	17	C4
Urdax	E	34	A2
Urdos	E	35	B3
Urk	NL	2	B2
Urmäsch	CH	21	B4
Urries	E	34	B2
Urroz	E	34	B2
Ury	F	10	C2
Useldange	L	12	B1
Usingen	D	7	B4
Usquert	NL	3	A3
Usse	F	16	B2
Usséglio	I	27	B4
Ussel, Cantal	F	24	B2
Ussel, Corrèze	F	24	B2
Usson-du-Poitou	F	23	B5
Usson-en-Forez	F	25	B3
Usson-les-Bains	F	36	B2
Ustaritz	F	34	A2
Uster	CH	21	B3
Utrecht	NL	2	B2
Uttenweiler	D	21	A4
Uza	F	28	B1
Uzein	F	35	A3
Uzel	F	14	A3
Uzerche	F	24	B1
Uzès	F	31	A3
Uznach	CH	21	B3
V			
Vaas	F	16	B2
Vaassen	NL	2	B2
Vabre	F	30	B1
Vacqueyras	F	31	A3
Vado Ligure	I	33	A4
Vaduz	FL	21	B4

Place	Ctry	Sheet	Grid
Vagney	F	20	A1
Vaiges	F	16	A1
Vaihingen	D	13	C4
Vaillant	F	19	B4
Vailly-sur-Aisne	F	11	B3
Vailly-sur Sauldre	F	17	B4
Vaison-la-Romaine	F	31	A4
Vaite	F	19	B4
Val d'Esquières	F	32	B2
Val-d'Isère	F	27	B3
Val-Suzon	F	19	B3
Val Thorens	F	26	B3
Valberg	F	32	A2
Valbonnais	F	26	C2
Valdahon	F	19	B5
Valdieri	I	33	A3
Valençay	F	17	B3
Valence, *Charente*	F	23	C4
Valence, *Drôme*	F	25	C4
Valence d'Agen	F	29	B3
Valence-d'Albigeois	F	30	A1
Valence-sur-Baïse	F	29	C3
Valenciennes	F	3	B4
Valensole	F	32	B1
Valentigney	F	20	B1
Valentine	F	35	A4
Valfabbres	F	31	A3
Valgorge	F	31	A3
Valgrisenche	I	27	B4
Valkenburg	NL	6	B1
Valkenswaard	NL	5	A5
Valle Mosso	I	27	B5
Vallendar	D	7	B3
Vallerauge	F	30	A2
Vallet	F	15	B4
Vallfogona de Riucorb	E	37	C2
Valloire	F	26	B3
Vallon-Pont-d'Arc	F	31	A3
Vallorbe	CH	19	C5
Vallouise	F	26	C3
Valls	E	37	C2
Valmont	F	9	A4
Valognes	F	8	A2
Valpelline	I	27	B4
Valras-Plage	F	30	B2
Valréas	F	31	A3
Vals	CH	21	C4
Vals-les-Bains	F	25	C4
Valsavarenche	I	27	B4
Valsonne	F	25	B4
Valtierra	E	34	B2
Valtournenche	I	27	B4
Valverde	E	34	C2
Vanault-les-Dames	F	11	C4
Vandenesse	F	18	C2
Vandenesse-en-Auxois	F	18	B3
Vannes	F	15	B3
Vaour	F	29	B4
Varacieux	F	26	B2
Varades	F	15	B4
Varages	F	32	B1
Varallo	I	27	B5
Varazze	I	33	A4
Varel	D	3	A5
Varengeville-sur-Mer	F	9	A4
Varennes-en-Argonne	F	11	B5
Varennes-le-Grand	F	19	C3
Varennes-St. Sauveur	F	19	C4
Varennes-sur-Allier	F	25	A4
Varennes-sur-Amance	F	19	B4
Varilhes	F	36	A2
Varreddes	F	10	C2
Vars	F	26	C3
Varsseveld	NL	3	C3
Varzo	I	27	A5
Varzy	F	18	B2
Vassieux-en-Vercors	F	26	C2
Vassy	F	8	B3
Vatan	F	17	B3
Vatry	F	11	C4
Vättis	CH	21	C4
Vauchamps	F	11	C3
Vauchassis	F	18	A2
Vaucouleurs	F	12	C1
Vaudoy-en-Brie	F	10	C3
Vauiruz	F	20	C1
Vaulx Vraucourt	F	10	A2
Vaumas	F	18	C2
Vausseroux	F	23	B3
Vauvenargues	F	32	B1
Vauvert	F	31	B3
Vauvillers	F	19	B5
Vaux-sur-Sure	F	12	B1
Vayrac	F	29	B4
Vechta	D	3	B5
Veendam	NL	3	A4
Veenendaal	NL	2	B2
Veghel	NL	6	A1
Velbert	D	6	A3
Velen	D	6	A2
Velles	F	17	C3
Vellmar	D	7	A5
Velp	NL	3	B3
Venaco	F	38	A2
Venarey-les-Laumes	F	18	B3
Venaria	I	27	B4
Venasca	I	33	A3
Vence	F	32	B3
Vendays-Montalivet	F	22	C2
Vendeuil	F	11	B3
Vendeuvre-sur-Barse	F	18	A3
Vendœuvres	F	23	B5
Vendôme	F	17	B3
Venelles	F	31	B4
Vénissieux	F	25	B4
Venlo	NL	6	A2
Vennezey	F	12	C2
Venray	NL	6	A2
Ventavon	F	32	A1
Ventimiglia	F	33	B3
Venzolasca	F	38	A2
Vera de Bidasoa	E	34	A2
Vera de Moncayo	E	34	C2
Verbánia	I	27	B5
Verberie	F	10	B2
Verbier	CH	27	A4
Vercel-Villedieu-le-Camp	F	19	B5
Vercelli	I	27	B5
Vercheny	F	26	C2
Verclause	F	31	A4
Verdille	F	23	C3
Verdú	E	37	C2
Verdun	F	12	B1
Verdun-sur-Garonne	F	29	C4
Verdun-sur-le-Doubs	F	19	C4
Verfeil	F	29	C4
Verges	F	37	B4
Vergt	F	29	A3
Verín	E	34	A3
Veringenstadt	D	21	A4
Verl	D	7	A4
Vermand	F	10	B3
Vermenton	F	18	B2
Vern-d'Anjou	F	16	B1
Vernante	I	33	A3
Vernantes	F	16	B2
Vernayaz	CH	27	A4
Vernet	F	36	A2
Vernet-les-Bains	F	36	B3
Verneuil	F	11	B3
Verneuil-sur-Avre	F	9	B4
Vernier	CH	26	A3
Vernon	F	10	B1
Vernoux-en-Vivarais	F	25	C4
Verrès	I	27	B4
Verrey-sous-Salmaise	F	18	B3
Verrières	F	18	B3
Versailles	F	10	C2
Versmold	D	3	B5
Versoix	CH	26	A3
Vertaillac	F	23	C4
Vertou	F	15	B4
Vertus	F	11	C3
Verviers	B	6	B1
Vervins	F	11	B3
Verzuolo	I	33	A3
Verzy	F	11	B4
Vescovato	F	38	A2
Vésime	I	27	C5
Vesoul	F	19	B5
Vétroz	CH	27	A4
Veules-les-Roses	F	9	A4
Veulettes-sur-Mer	F	9	A4
Veurne	B	4	A2
Vevey	CH	20	C1
Vex	CH	27	A4
Veynes	F	26	C2
Veyre-Monton	F	24	B3
Veyrier	F	26	B3
Vézelay	F	18	B2
Vézelise	F	12	C2
Vézenobres	F	31	A3
Vezins	F	16	B1
Vézins-de-Lévézou	F	30	A1
Vezzani	F	38	A2
Vianden	L	12	B2
Vianen	NL	5	A5
Vibraye	F	16	A2
Vic	F	37	C3
Vic-en-Bigorre	F	35	A3
Vic-Fézensac	F	29	C3
Vic-le-Comte	F	24	B3
Vic-sur-Aisne	F	10	B3
Vic-sur-Cère	F	24	B2
Vicdessos	F	36	B2
Vichy	F	25	A3
Vico	F	38	A1
Vidauban	F	32	B2
Vieille-Brioude	F	25	B3
Vielha	E	35	B4
Vielle-Aure	F	35	B4
Viellespesse	F	24	B3
Vielmur-sur-Agout	F	30	B1
Viels Maison	F	11	C3
Vielsalm	B	6	B1
Vienne	F	25	B4
Viernheim	D	13	B4
Viersen	D	6	A2
Vierville-sur-Mer	F	8	A3
Vierzon	F	17	B4
Vieteren	B	4	B2
Vieux-Boucau-les-Bains	F	28	C1
Vif	F	26	C2
Vigeois	F	23	C5
Vignale	I	38	A2
Vigneulles-lès-Hattonchâtel	F	12	C1
Vignevielle	F	36	B3
Vignory	F	19	A4
Vignoux-sur Barangeon	F	17	B4
Vigone	I	27	C4
Vihiers	F	16	B1
Vila-Rodona	E	37	C2
Viladamat	E	37	B4
Viladrau	E	37	C3
Vilafranca del Penedès	E	37	C2
Vilajuiga	E	37	B4
Vilanova de Sau	E	37	C3
Vilanova i la Geltrú	E	37	C2
Vilaseca	E	37	C2
Vilassar de Mar	E	37	C3
Vilbona	E	34	A1
Villadóssola	I	27	A5
Vilafranca, *Navarra*	E	34	B2
Villagrains	F	28	B2
Villaines-la-Juhel	F	9	B3
Villambard	F	29	A3
Villandraut	F	28	B2
Villanova d'Asti	I	27	C4
Villanova Mondoví	I	33	A3
Villanueva de Gállego	E	34	C3
Villar Perosa	I	27	C4
Villard-de-Lans	F	26	B2
Villaretto	I	27	B4
Villars-les-Dombes	F	25	B4
Villastellone	I	27	C4
Ville-di-Pietrabugno	F	38	A2
Ville-sous-la-Ferté	F	19	A3
Ville-sur-Illon	F	19	A5
Ville-sur-Tourbe	F	11	B4
Villebois-Lavalette	F	23	C4
Villecerf	F	10	C2
Villecomtal	F	30	A1
Villedieu-les-Poêles	F	8	B2
Villedieu-sur-Indre	F	17	C3
Villefagnan	F	23	B4
Villefontaine	F	26	B2
Villefort	F	31	A2
Villefranche-d'Albigeois	F	30	B1
Villefranche-d'Allier	F	24	A2
Villefranche-de-Lauragais	F	36	A2
Villefranche-de-Lonchat	F	28	B3
Villefranche-de-Panat	F	30	A1
Villefranche-de-Rouergue	F	30	A1
Villefranche-du-Périgord	F	29	B4
Villefranche-sur-Cher	F	17	B3
Villefranche-sur-Mer	F	33	B3
Villefranche-sur-Saône	F	25	A4
Villegenon	F	17	B4
Villemaur-sur-Vanne	F	18	A2
Villemur-sur-Tarn	F	29	C4
Villenauxe-la-Grande	F	11	C3
Villeneuve	F	30	A1
Villeneuve	F	29	C5
Villeneuve-d'Ascq	F	4	B3
Villeneuve-de-Berg	F	31	A3
Villeneuve-de-Marsan	F	28	C2
Villeneuve-de-Rivière	F	35	A4
Villeneuve-la-Guyard	F	10	C3
Villeneuve-l'Archevêque	F	18	A2
Villeneuve-lès-Avignon	F	31	B3
Villeneuve-les-Corbières	F	36	B3
Villeneuve-St. Georges	F	10	C2
Villeneuve-sur-Allier	F	18	C2
Villeneuve-sur-Lot	F	29	B3
Villeneuve-sur-Yonne	F	18	B2
Villeréal	F	29	B3
Villeromain	F	17	B3
Villers-Bocage, *Calvados*	F	8	A3
Villers-Bocage, *Somme*	F	10	B2
Villers-Bretonneux	F	10	B2
Villers-Carbonnel	F	10	B3
Villers-Cotterêts	F	10	B3
Villers-Farlay	F	19	C4
Villers-le-Gambon	B	5	B4
Villers-le-Lac	F	20	C1
Villers-sur-Mer	F	9	A3
Villersexel	F	19	B5
Villerupt	F	12	B1
Villerville	F	9	A4
Villers-St. Benoît	F	18	B2
Villers-St. Georges	F	11	C3
Villingen	D	20	A3
Villmar	D	7	B4
Villon	F	18	B3
Vilvoorde	B	5	B4
Vimoutiers	F	9	B4
Vimy	F	4	B2
Vinadio	I	33	A3
Vinaixa	E	37	C1
Vinay	F	26	B2
Vinça	F	36	B3
Vinets	F	11	C4
Vineuil	F	17	B3
Vingrau	F	36	B3
Vinon	F	17	B4
Vinon-sur-Verdon	F	32	B1
Viola	I	33	A3
Violay	F	25	B4
Vire	F	8	B3
Vireux	F	11	B4
Virieu	F	26	B2
Virieu-le-Grand	F	26	B2
Virton	B	12	B1
Viry	F	26	A3
Visbek	D	3	B5
Visé	B	6	B1
Visone	I	27	C5
Vitré	F	15	A4
Vitrey-sur-Mance	F	19	B4
Vitry-en-Artois	F	4	B2
Vitry-le-François	F	11	C4
Vitry-sur-Seine	F	10	C2
Vitteaux	F	18	B3
Vittel	F	19	A4
Viù	I	27	B4
Vivario	F	38	A2
Viverols	F	25	B3
Viviers	F	31	A3
Vivonne	F	23	B4
Vivy	F	16	B2
Vizille	F	26	B2
Vizzavona	F	38	A2
Vlagtwedde	NL	3	A4
Vledder	NL	3	B3
Vlissingen	NL	5	A3
Vogogna	I	27	A5
Vogüé	F	31	A3
Vöhl	D	7	A4
Vöhrenbach	D	20	A3
Void-Vacon	F	12	C1
Voiron	F	26	B2
Voise	F	10	C1
Voisey	F	19	C4
Voiteur	F	19	C4
Volendam	NL	2	B2
Völklingen	D	12	B2
Volkmarsen	D	7	A5
Vollenhove	NL	2	B2
Vollore-Montagne	F	25	B3
Voltri	I	33	A4
Volvic	F	24	B3
Volx	F	32	B1
Voorschoten	NL	2	B1
Vorden	NL	3	B3
Voreppe	F	26	B2
Vorey	F	25	B3
Voué	F	11	C4
Vouillé	F	23	B4
Voulx	F	10	C2
Voussac	F	24	A3
Vouvray	F	16	B2
Vouvry	CH	27	A3
Vouziers	F	11	B4
Voves	F	10	C1
Vriezenveen	NL	3	B3
Vrigne-aux-Bois	F	11	B4
Vron	F	10	A1
Vroomshoop	NL	3	B3
Vught	NL	5	A5
Vuillafans	F	19	B5
Vy-lès Lure	F	19	B5

W

Place	Ctry	Sheet	Grid
Waalwijk	NL	5	A5
Waarschoot	B	5	A3
Wabern	D	7	A5
Wächtersbach	D	7	B5
Wädenswil	CH	21	B3
Wadern	D	12	B2
Wadersloh	D	7	A4
Wageningen	NL	2	B2
Waghäusel	D	13	B4
Waimes	B	6	B2
Wald	CH	21	B3
Wald-Michelbach	D	13	B4
Waldböckelheim	D	13	B3
Waldbröl	D	7	B3
Waldeck	D	7	A5
Waldfischbach-Burgalben	D	13	B3
Waldkirch	D	20	A3
Waldmohr	D	13	B3
Waldmünchen	D	15	B3
Waldshut	D	20	B3
Waldstatt	CH	21	B4
Waldwisse	F	12	B2
Walenstadt	CH	21	B4
Wallers	F	4	B3
Walshoutem	?	?	?
Waltenhofen	D	21	B5
Walwis?			
Wangen im Allgäu	D	21	B4
Wangerooge	D	3	A4
Wängi	CH	21	B3
Warburg	D	7	A5
Wardenburg	D	3	B5
Waregem	B	5	B3
Waremme	B	5	B5
Warendorf	D	3	C4
Warga	NL	2	A2
Warnsveld	NL	3	B3
Warsingsfehn	D	3	A4
Warstein	D	7	A4
Warth	A	21	B5
Wasselonne	F	13	C3
Wassen	CH	21	C3
Wassenaar	NL	2	B1
Wasserauen	CH	21	B4
Waterloo	B	5	B4
Watten	F	4	B2
Wattwil	CH	21	B4
Wavignies	F	10	B2
Wavre	B	5	B4
Weener	D	3	A4
Weert	NL	6	A1
Weesp	NL	2	B2
Weeze	D	6	A2
Weggis	CH	20	B3
Wehr	D	20	B2
Weibersbrunn	D	13	B5
Weil am Rhein	D	20	B2
Weil der Stadt	D	13	C4
Weilburg	D	7	B4
Weilerswist	D	6	B2
Weilmünster	D	7	B4
Weinfelden	CH	21	B4
Weingarten, *Baden-Württemberg*	D	21	B4
Weingarten, *Baden-Württemberg*	D	13	B4
Weinheim	D	13	B4
Weisstannen	CH	21	C4
Weitnau	D	21	B5
Welkenraedt	B	6	B1
Wellin	B	11	A5
Welschenrohr	CH	20	B2
Welver	D	7	A4
Wenden	D	7	B3
Wengen	CH	20	C2
Werdohl	D	7	A3
Werkendam	NL	5	A4
Werl	D	7	A3
Werlte	D	3	B4
Wermelskirchen	D	7	A3
Werne	D	7	A3
Weseke	D	6	A2
Wesel	D	6	A2
Wesseling	D	6	B2
West-Terschelling	NL	2	A2
Westerbork	NL	3	B3
Westerburg	D	7	B3
Westerhaar	NL	3	B3
Westerholt	D	3	A4
Westerkappeln	D	3	B4
Westerlo	B	5	A4
Westerstede	D	3	A4
Westkapelle	B	4	A3
Westkapelle	NL	5	A3
Wetter, *Hessen*	D	7	B4
Wetter, *Nordrhein-Westfalen*	D	6	A3
Wetteren	B	5	A3
Wettringen	D	3	B4
Wetzikon	CH	21	B3
Wetzlar	D	7	B4
Weyerbusch	D	7	B3
Wickede	D	7	A4
Wiefelstede	D	3	A5
Wiehl	D	7	B3
Wierden	NL	3	B3
Wiesbaden	D	7	B4
Wiesen	CH	21	C4
Wiesloch	D	13	B4
Wiesmoor	D	3	A4
Wietmarschen	D	3	B4
Wiggen	CH	20	C2
Wijchen	NL	6	A1
Wijhe	NL	3	B3
Wijk bij Duurstede	NL	2	B2
Wil	CH	21	B4
Wildbad	D	13	C4
Wildberg, *Baden-Württemberg*	D	13	C4
Wildeshausen	D	3	B5
Wilhelmsdorf	D	21	B4
Wilhelmshaven	D	3	A5
Willebadessen	D	7	A4
Willebroek	B	5	A4
Willgottheim	F	13	C3
Willich	D	6	A2
Willingen	D	7	A4
Willisau	CH	20	B3
Wilsum	D	3	B3
Wiltz	L	12	B2
Wimereux	F	4	B1
Wimmis	CH	20	C2
Wingene	B	4	A3
Winnweiler	D	13	B3
Winschoten	NL	3	A4
Winsum, *Friesland*	NL	2	A2
Winsum, *Groningen*	NL	2	A3
Winterberg	D	7	A4
Winterswijk	NL	3	B3
Winterthur	CH	21	B3
Wintzenheim	F	20	A2
Wipperfürth	D	7	A3
Wissant	F	4	B1
Wissembourg	F	13	B3
Wissen	D	7	B3
Witmarsum	NL	2	A2
Witry-lès-Reims	F	11	B4
Wittelsheim	F	20	B2
Witten	D	6	A3
Wittenheim	F	20	B2
Wittlich	D	12	B2
Wittmund	D	3	A4
Woerden	NL	2	B1
Wœrth	F	13	C3
Wohlen	CH	20	B3
Woippy	F	12	B2
Wolfach	D	13	C4
Wolfegg	D	21	B4
Wolfenschiessen	CH	20	C3
Wolfhagen	D	7	A5
Wolfstein	D	13	B3
Wolfurt	A	21	B4
Wolhusen	CH	20	B3
Wöllstadt	D	7	B4
Wolvega	NL	2	B2
Worb	CH	20	C2
Workum	NL	2	B2
Wormer	NL	2	B1
Wormhout	F	4	B3
Worms	D	13	B4
Wörrstadt	D	13	B4
Wörth, *Bayern*	D	13	B5
Wörth, *Rheinland-Pfalz*	D	13	B4
Woudsend	NL	2	B2
Woumen	B	4	A2
Wülfen, *Nordrhein-Westfalen*	D	6	A3
Wünnenberg	D	7	A4
Wuppertal	D	7	A3
Würselen	D	6	B2
Wuustwezel	B	5	A4

X

Place	Ctry	Sheet	Grid
Xanten	D	6	A2
Xertigny	F	19	A5

Y

Place	Ctry	Sheet	Grid
Yebra de Basa	E	35	B3
Yenne	F	26	B2
Yerseke	NL	5	A4
Yerville	F	9	A4
Ygos-St. Saturnin	F	28	C2
Ygrande	F	18	C1
Ymonville	F	17	A3
Yport	F	9	A4
Ypres = Ieper	B	4	B2
Yssingeaux	F	25	B4
Yverdon-les-Bains	CH	20	C1
Yvetot	F	9	A4
Yvignac	F	15	A3
Yvoir	B	5	B4
Yvonand	CH	20	C1
Yzeure	F	18	C2

Z

Place	Ctry	Sheet	Grid
Zaamslag	NL	5	A3
Zaanstad	NL	2	B1
Zaltbommel	NL	5	A5
Zandhoven	B	5	A4
Zandvoort	NL	2	B1
Zarautz	E	34	A1
Zarren	B	4	A2
Zeebrugge	B	4	A3
Zeist	NL	2	B2
Zele	B	5	A4
Zelhem	NL	3	B3
Zell, *Baden-Württemberg*	D	20	B2
Zell	CH	21	B4
Zell, *Baden-Württemberg*	D	13	C4
Zell, *Rheinland-Pfalz*	D	12	A3
Zelzate	B	5	A3
Zemst	B	5	B4
Zerf	D	12	B2
Zermatt	CH	27	A4
Zernez	CH	21	C5
Zestoa	E	34	A1
Zetel	D	3	A4
Zevenaar	NL	3	C3
Zevenbergen	NL	5	A4
Zicavo	F	38	B2
Zierenberg	D	7	A5
Zierikzee	NL	5	A4
Zinal	CH	27	A4
Zoetermeer	NL	2	B1
Zofingen	CH	20	B3
Zogno	I	27	B5
Zonhoven	B	5	B5
Zonza	F	38	B2
Zottegem	B	5	B3
Zoutkamp	NL	2	A3
Zubieta	E	34	A2
Zubiri	E	34	B2
Zuera	E	34	C3
Zuidhorn	NL	2	A3
Zuidlaren	NL	3	A3
Zülpich	D	6	B2
Zumaia	E	34	A1
Zundert	NL	5	A4
Zúñiga	E	34	B1
Zürich	CH	21	B3
Zurzach	CH	21	B3
Zutphen	NL	3	B3
Zweibrücken	D	13	B3
Zweisimmen	CH	20	C2
Zwiefalten	D	21	A4
Zwolle	NL	2	B3